L'Université d'Ottawa
The University of Ottawa

Depuis Since 1848

Texte | Text

Michel Prévost

Archiviste en chef | Chief Archivist

Catalogage avant publication de Bibliothèque et Archives Canada

Prévost, Michel, 1956-

L'Université d'Ottawa depuis 1848 = The University of Ottawa since 1848 / Michel Prévost ; traduction/translation, Luciana Vaduva.

Texte en français et en anglais.

ISBN 978-0-88927-342-9

1. Université d'Ottawa--Histoire. 2. Université d'Ottawa--Ouvrages illustrés. I. Vaduva, Luciana, 1982- II. Titre. III. Titre: University of Ottawa since 1848.

LE3.O822P74 2008 C813'.6 C2008-902122 3F

Library and Archives Canada Cataloguing in Publication

Prévost, Michel, 1956-

L'Université d'Ottawa depuis 1848 = The University of Ottawa since 1848 / Michel Prévost ; traduction/translation, Luciana Vaduva.

Text in French and English.

ISBN 978-0-88927-342-9

1. University of Ottawa--History. 2. University of Ottawa--Pictorial works. I. Vaduva, Luciana, 1982- II. Title.

LE3.O822P74 2008 378.713'84 C2008-902122-3E

FSC

Sources Mixtes · Mixed Sources

Groupe de produits issu de forêts bien gérées, de sources contrôlées et de bois ou fibres recyclés

Product group from well-managed forests, controlled sources and recycled wood or fiber

www.fsc.org Cert no. SGS-COC-005437

© 1996 Forest Stewardship Council

Ce logo décrit le papier FSC utilisé pour l'intérieur et la page couverture. Les feuilles de garde sont imprimés sur du papier FSC de sources mixtes.

This logo represents the FSC stock used for the text and the cover. The end leaves are printed on FSC Mixed Sources stock.

Imprimé au Canada | Printed in Canada
Dépôt légal : Bibliothèque et Archives Canada | Legal deposit: Library and Archives Canada
Édition révisée | 2009 | Revised edition

Texte | Text: Michel Prévost
Traduction anglaise | English translation: Luciana Vaduva
Graphisme | Graphics: Luong Lê Phan

Sigles | Abbreviations
AUO : Archives de l'Université d'Ottawa | Archives of the University of Ottawa
BAC-LAC : Bibliothèque et Archives Canada | Library and Archives Canada
BAnQ-O : Bibliothèque et Archives nationales du Québec, Centre d'archives de l'Outaouais

Pages intérieures | Interior covers
L'Université d'Ottawa à la fin du XIXe siècle.
The University of Ottawa at the end of the 19th century.
AUO-PHO-NB-38AH-2-18

Quatrième de couverture | Back cover
Des bénévoles participent au Défi hivernal en 2005.
Volunteers help out in the 2005 Winter Challenge.
AUO-6-593-44benevole2005 | Photo: Mélanie Provencher

L'Université d'Ottawa
The University of Ottawa

Table des matières		Table of Contents

Hommage à ceux et à celles qui nous ont inspirés

Les universités jouent un rôle essentiel dans la compréhension du monde et la préparation de nos futurs leaders. Ce rôle est constamment à réinventer, car chaque génération a son lot de grands défis à relever et d'obstacles à surmonter.

Avant d'être nommé recteur, j'avais passé onze années de ma vie sur le campus de l'Université d'Ottawa. J'y ai fait mon secondaire, pour ensuite étudier en arts et en common law. C'était les années soixante. Nous étions alors en pleine guerre froide, avec la construction du mur de Berlin, la crise des missiles cubains et la guerre du Viet Nam. C'était aussi l'époque de la politique de l'apartheid en Afrique du Sud avec l'emprisonnement à perpétuité de Nelson Mandela, ainsi que de la ségrégation raciale aux États-Unis avec l'assassinat de Malcom X et de Martin Luther King. Cependant, c'était aussi les années des Beatles, du mouvement hippie, de Woodstock, de Mai 68 et, dans un tout autre registre, de la première greffe de cœur et de la conquête de la lune.

Aujourd'hui, nous nous préoccupons beaucoup de l'environnement et du réchauffement de la planète, des énergies renouvelables, du cycle infernal de la pauvreté, de la sécurité internationale et d'une économie mondiale qui vacille. Et notre univers est maintenant celui de la cybersociété, de la mondialisation des savoirs, des biotechnologies et du premier président américain noir. Demain, ce sera peut-être la conquête de Mars. Il incombe aux universités de préparer toute une génération de jeunes femmes et de jeunes hommes à transformer ces défis en solutions pratiques.

L'Université d'Ottawa est importante pour moi, non seulement à cause de mon histoire personnelle,

A tribute to those who have inspired us

Universities play a key role in helping us develop an understanding of the world and in preparing our future leaders, a role that is constantly evolving in order to address the major issues and challenges that each generation faces.

Before being appointed president of the University of Ottawa, I had spent eleven years of my life on its campus where I completed my high school education and then studied Arts and Common Law. This was during the 1960s, the era of the Cold War and the building of the Berlin Wall, the Cuban Missile Crisis and the Vietnam War. It was also the time of Apartheid in South Africa and Nelson Mandela's life imprisonment, as well as the time of racial segregation in the United States and the assassinations of Malcolm X and Martin Luther King. This period also gave us the Beatles, the hippie movement, Woodstock, May 1968 and, in a different vein, the first heart transplant and the first man on the moon.

Today we are very conscious of the environment, global warming, renewable energies, the tragic cycle of poverty, international security and worldwide economic challenges. The realities of our current world include virtual communities, global knowledge, biotechnologies and the first African-American president; perhaps the colonization of Mars is next to come. In this context, universities have the responsibility to prepare an entire generation of young men and women ready to find practical solutions for these challenges.

The University of Ottawa is important to me not only because of my personal history but also because of what it represents. I have seen the importance of education in so many phases of my own life. Recently, as Ambassador to the United Nations, I saw

mais aussi pour tout ce qu'elle représente. J'ai été sensibilisé à l'importance de l'éducation à toutes les étapes de ma vie. Récemment, comme ambassadeur aux Nations Unies, j'ai vu que l'éducation pouvait vraiment faire une différence dans la prévention des conflits et dans l'accélération du développement des pays les plus pauvres.

Quand je me promène sur le campus, des souvenirs surgissent de partout, mais mon regard est fixé sur l'avenir, pas sur le passé. Il est vrai que les murs de cette institution sont riches d'histoire, et cet album en témoigne. Mais je crois fermement que le meilleur reste à venir pour notre Université. En mettant en valeur nos forces, en nous attaquant à nos lacunes avec sincérité et détermination, en collaborant plus activement avec nos partenaires du monde entier et en encourageant l'esprit d'engagement chez nos étudiants et nos étudiantes, je suis sûr que nous réussirons à réaliser le plein potentiel de notre grande institution, à repousser les frontières du savoir, sachant que nos finissants et nos finissantes joueront un rôle déterminant dans leur communauté, à l'échelle du pays et au service de la planète.

Cet album rend hommage aux bâtisseuses et aux bâtisseurs, passés et actuels, de l'Université d'Ottawa. Et sa teneur est de nature à nous inspirer, à tous et à toutes, une légitime fierté pour cette institution qui est la nôtre.

Allan Rock, *recteur et vice-chancelier*

that education can make a world of difference in preventing conflict and accelerating growth in developing countries.

As I walk around our campus, I see a memory at every turn, but my focus is on the future, not the past. I believe that for all its rich history, which is captured in this album, the very best days of this University lie ahead. By building on our strengths and addressing our shortcomings with honesty and commitment, by collaborating more actively with partners around the world and enlisting our students in a commitment to service, I believe that we can achieve this remarkable institution's great potential, advance the frontiers of knowledge, and be confident that our graduates will play a key role in their communities, both nationally and internationally.

This album is a tribute to all present and past builders of the University of Ottawa and is meant to instil in all of us a legitimate sense of pride in our institution.

Allan Rock, *President and Vice-Chancellor*

Notre mission

Depuis 1848, l'Université d'Ottawa est l'Université canadienne : le reflet, l'observatoire et le catalyseur de l'expérience canadienne dans toute sa diversité et sa complexité. Notre histoire privilégiée au confluent du Canada anglais et du Canada français, notre bilinguisme, notre situation au cœur de la capitale fédérale, notre engagement envers la promotion de la culture française en Ontario et le multiculturalisme constituent notre spécificité. Celle-ci fait en sorte que nous sommes exceptionnellement bien placés, parmi les universités à forte vocation de recherche, pour assurer une formation remarquable à notre population étudiante et, grâce aux réalisations innovatrices des membres de notre collectivité, pour contribuer à la vie intellectuelle et culturelle du pays, ainsi qu'à son rayonnement dans le monde.

Notre vision

Nous visons à être la référence universitaire incontournable pour ce qu'incarne le Canada : une université ancrée dans son milieu et ouverte sur le monde, se démarquant par sa quête de l'excellence en recherche, la qualité de son milieu d'apprentissage, sa passion pour le savoir et l'innovation, son leadership linguistique et son accueil à la diversité. Chaque membre de notre collectivité universitaire participera à notre mission éducative.

Our mission

Since 1848, the University of Ottawa has been Canada's university: a reflection, an observatory and a catalyst of the Canadian experience in all its complexity and diversity. Our university is characterized by its unique history, its commitment to bilingualism, its location both in the heart of the national capital and at the juncture of French and English Canada, its special commitment to the promotion of French culture in Ontario and to multiculturalism. As a result and through the groundbreaking work of our community members, we are uniquely positioned among Canada's research-intensive institutions to give students a remarkable education, to enrich the intellectual and cultural life of Canada and to help the country achieve greater international prominence.

Our vision

We aspire to be, among universities, the essential reference on what Canada represents: a university that is an integral part of its community, open to the world, and distinguished by its search for excellence in research, its high-quality learning environment, its passion for knowledge and innovation, its leadership on language issues, and its openness to diversity. Every member of our institution will take part in our educational mission.

Nos valeurs

Une université qui place sa population étudiante au cœur de sa mission éducative

Nous déployons tous les efforts pour que les étudiantes et les étudiants développent leur savoir, leur culture, leur sens critique et leur créativité, qu'ils profitent de la richesse de la vie universitaire afin de devenir des personnes et des citoyens accomplis, leaders de la société.

Une université dont les programmes d'études sont animés par la recherche

Nous poursuivons l'excellence en recherche, notamment dans les domaines liés à nos axes prioritaires de développement, ce qui enrichit notre enseignement. Nous offrons un éventail de programmes à tous les niveaux, réputés à l'échelle nationale et internationale par leur qualité, propices à l'épanouissement de l'interdisciplinarité.

Une université bilingue qui met en valeur la diversité culturelle

Nous travaillons à l'avancement du bilinguisme, valorisons la contribution des différentes collectivités qui ont construit le Canada et, à travers nos recherches et nos programmes, cherchons à mieux comprendre les défis du Canada comme pays.

Une université engagée dans la promotion de la francophonie

Nous développons des services et des programmes de grande qualité conçus expressément pour les francophones de l'Ontario et nous jouons un rôle de leader auprès de la francophonie canadienne et mondiale.

Our values

A university that places its students at the core of its educational mission

We do our utmost to help our students expand their knowledge, enrich their culture, boost their creativity, enhance their ability to question and analyze, and take full advantage of university life to become well-rounded, responsible citizens and leaders of our society.

A university whose programs are research driven

We conduct first-class research, most notably in each of our strategic areas of development; this in turn enriches what and how we teach. We deliver a wide range of nationally and internationally recognized undergraduate, graduate and professional programs known for their quality and for their focus on interdisciplinarity.

A bilingual university that values cultural diversity

We promote bilingualism, recognize the contributions of the many communities that have helped build our country and, through our programs and research, work to bring Canada's challenges as a country into sharper focus.

A university committed to promoting Francophone communities

We design outstanding programs and services for Ontario's French-speaking population and we provide leadership for Francophone communities across Canada and around the world.

Une université qui construit des partenariats pour remplir son rôle social

Nous enrichissons nos programmes et nous remplissons notre rôle social, politique et communautaire grâce à nos partenariats avec les autres institutions de haut savoir, les organismes gouvernementaux, sociaux et communautaires, les conseils de recherche, le secteur privé, les ambassades et les organisations nationales et internationales.

Une université qui offre des chances égales à tout son personnel

Nous faisons nôtres les principes d'accueil de la diversité et de la représentation équitable. Voir les femmes jouer un rôle de premier plan dans la vie universitaire nous importe au plus haut point.

Une université qui valorise sa communauté

Nous encourageons la liberté d'expression, dans un climat de discussions ouvertes où l'esprit critique peut s'exprimer, en faisant appel à l'intégrité intellectuelle et au sens éthique. Collégialité, transparence et imputabilité dirigent notre gouvernance universitaire.

A university that builds strong partnerships to fulfill its social responsibilities

We strengthen our programs and perform our social, political and community-outreach roles thanks to productive ties with other institutions of higher learning, government agencies, social and community associations, research councils, the private sector, embassies, and national and international organizations.

A university that offers equal opportunities to its staff

We adhere to the principles of diversity and equitable representation. We are also committed to women playing a leading role in the life of the university community.

A university that values its community

We encourage freedom of expression in an atmosphere of open dialogue, enabling critical thought, supported by intellectual integrity and ethical judgment. Collegiality, transparency and accountability are the principles that guide our university governance.

La mission, la vision et les valeurs de l'Université d'Ottawa ont fait l'objet d'une révision dans le cadre de l'exercice de planification scolaire stratégique Vision 2010, *dont le plan final a été adopté en janvier 2005 par le Sénat et en octobre 2005 par le Bureau des gouverneurs.*

The University of Ottawa's mission, vision and values were revised during the Vision 2010 *academic strategic planning exercise. The final strategic plan was adopted in January 2005 by the Senate, and in October 2005 by the Board of Governors.*

L'Université d'Ottawa
The University of Ottawa

Du Collège de Bytown
(1848-1861)
au Collège d'Ottawa
(1861-1889)

From the College of Bytown
(1848-1861)
to the College of Ottawa
(1861-1889)

Les supérieurs du Collège

Le Collège de Bytown (1848-1861)

1848-1849	Édouard Chevalier, o.m.i.
1849-1850	Jean-François Allard, o.m.i.
1850-1851	Napoléon Migneault, o.m.i.
1851-1853	Augustin Gaudet, o.m.i.
1853-1861	Joseph-Henri Tabaret, o.m.i.

Le Collège d'Ottawa (1861-1889)

1861-1864	Joseph-Henri Tabaret, o.m.i.
1864-1867	Timothy Ryan, o.m.i.
1867-1874	Joseph-Henri Tabaret, o.m.i.
1874-1877	Antoine Paillier, o.m.i.
1877-1886	Joseph-Henri Tabaret, o.m.i.
1886-1886	Philémon Provost, o.m.i.
1886-1887	Antoine Paillier, o.m.i.
1887-1889	Jean-Marie Fayard, o.m.i.

Superiors of the College

College of Bytown (1848-1861)

1848-1849	Édouard Chevalier, OMI
1849-1850	Jean-François Allard, OMI
1850-1851	Napoléon Migneault, OMI
1851-1853	Augustin Gaudet, OMI
1853-1861	Joseph-Henri Tabaret, OMI

College of Ottawa (1861-1889)

1861-1864	Joseph-Henri Tabaret, OMI
1864-1867	Timothy Ryan, OMI
1867-1874	Joseph-Henri Tabaret, OMI
1874-1877	Antoine Paillier, OMI
1877-1886	Joseph-Henri Tabaret, OMI
1886-1886	Philémon Provost, OMI
1886-1887	Antoine Paillier, OMI
1887-1889	Jean-Marie Fayard, OMI

En 1848, le commerce du bois occupe une place importante dans le Canada-Uni, peuplé alors de moins de deux millions de personnes. Avec ses sept mille habitants, Bytown n'est qu'une petite ville de l'arrière-pays, à vocation essentiellement forestière, qui emploie quantité de Canadiens français et d'Irlandais, la majorité d'entre eux étant catholiques. C'est pour répondre aux besoins de cette population que le premier évêque du diocèse catholique de Bytown, Mgr Joseph-Eugène-Bruno Guigues, fonde un premier établissement d'enseignement pour garçons, le Collège de Bytown, appelé aussi Collège Saint-Joseph, en l'honneur du saint patron des Oblats de Marie-Immaculée qui dirigent l'établissement.

À ses débuts, le Collège de Bytown compte moins d'une dizaine de professeurs et quatre-vingt-cinq élèves des niveaux primaire et secondaire. Le programme d'études ressemble beaucoup à celui des autres collèges classiques avec, entre autres, ses cours de grec, de latin et de religion. Cependant, le Collège se distingue par son bilinguisme : l'enseignement se fait en français le matin et en anglais l'après-midi, conformément au vœu de Mgr Guigues qui rêve de réconcilier les anglophones et les francophones en leur imposant, pendant leur formation, non seulement de cohabiter mais aussi de travailler ensemble dans la même salle de classe, tantôt dans une langue, tantôt dans l'autre.

Le Collège s'installe d'abord dans une très petite construction en bois, à l'ombre de la cathédrale Notre-Dame, dans la basse-ville. Mais l'édifice est rapidement trop exigu et on emménage, en 1852, dans un bâtiment en pierre, situé à l'angle des rues Guigues et Sussex. Cet immeuble, longtemps connu sous le nom d'Académie De-La-Salle, existe toujours.

Bien que la deuxième construction se révèle plus imposante que la première, le Collège se trouve de nouveau à l'étroit dès 1855. L'institution compte maintenant une dizaine de professeurs et cent trente-six élèves, dont la majorité n'a pas encore quinze ans. Mgr Guigues décide alors d'utiliser les six lots de la rue Wilbrod (aujourd'hui rue Séraphin-Marion) donnés aux Oblats par le notaire Louis-Théodore Besserer, un important propriétaire terrien de la

In 1848, the lumber trade was an important aspect of life in the United Province of Canada, whose population at the time was less than two million people. With about seven thousand residents, Bytown was a countryside settlement, whose primarily forest-based economy employed many French Canadians and Irish, most of whom were Catholic. To meet the needs of this population, Joseph-Eugène-Bruno Guigues, the first bishop of the Bytown Catholic Diocese, founded an academic institution for boys, the College of Bytown, also called St. Joseph College, in honour of the patron saint of the institution's administrators, the Oblates of Mary Immaculate.

At first, the College of Bytown had less than ten professors and eighty-five students at the primary and secondary levels. The curriculum was typical of classical colleges, with Greek, Latin and religion courses, among others. However, its unique feature was bilingualism: classes were taught in French in the morning and in English in the afternoon. It was Bishop Guigues' dream to bring together Anglophones and Francophones by requiring them not only to live together during their studies, but also to work together in the same classroom, in both English and French.

The College first operated out of a modest wood building in the shadow of Notre Dame Cathedral in Lowertown. However, space quickly became an issue and, in 1852, the College moved to a stone building at the corner of Guigues and Sussex. Known for a long time as *Académie De-La-Salle*, this structure still stands today.

Although this second building was larger than the first, by 1855 the College had grown to about ten professors and one hundred and thirty-six students, most under the age of fifteen, and was again cramped for space. Bishop Guigues thus decided to use six lots on Wilbrod Street (today called Séraphin Marion Street) donated to the Oblates by notary Louis-Théodore Besserer, a major landowner in the city, to relocate the college. The first students at the new site were welcomed in 1856. That same year, the Oblate Fathers became the official owners of the College of Bytown.

ville, pour y installer le collège. Le nouveau bâtiment de la Côte-de-Sable accueille ses premiers élèves en 1856, année où les Oblats acquièrent officiellement le Collège.

En 1861, le Collège de Bytown devient le Collège d'Ottawa, du nom pris par la ville lors de sa fondation survenue six ans plus tôt. Le programme d'études demeure le même, mais les premières manifestations de vie culturelle s'organisent. En 1858, une chorale est mise sur pied – elle deviendra l'Orpheus Glee Club. De plus, en 1865, le père Prosper Chaborel fonde une fanfare. En somme, les débuts sont modestes et il ne s'agit certes pas encore d'un établissement universitaire, mais les choses vont bientôt changer.

Une charte universitaire

En 1866, le Collège d'Ottawa reçoit de Londres une charte universitaire royale, la dernière octroyée avant la Confédération de 1867. En 1872, Thomas Foran devient le premier titulaire d'un baccalauréat ès arts puis, trois ans plus tard, d'une maîtrise ès arts. À l'époque, les démarches pour obtenir ce grade sont simples : deux ans après l'obtention d'un baccalauréat, le candidat qui désire recevoir une maîtrise doit en faire la demande par écrit au supérieur du Collège. Si ce dernier estime qu'il s'agit d'un bon candidat (exerçant une bonne profession, jouissant d'une bonne réputation et reconnu comme un bon pratiquant), il accorde le diplôme.

En 1874, le père supérieur Joseph-Henri Tabaret introduit un nouveau programme d'études qui réserve une large place aux sciences et aux mathématiques, tout en favorisant les activités sportives comme moyen de formation. Il vise en outre à ce que chacune des matières soit enseignée par un spécialiste, c'est-à-dire par un professeur affecté à l'enseignement d'une seule discipline. Il s'engage aussi à fournir les appareils nécessaires pour effectuer des expériences en laboratoire. Le père Tabaret croit que l'alliance de l'enseignement théorique et de la pratique facilite l'acquisition du savoir. Cette réforme a pour effet d'attirer un plus grand nombre d'étudiants et, en contrepartie, de constituer un corps professoral spécialisé.

In 1861, the College of Bytown changed its name to the College of Ottawa, adopting the name that the city was given when it was founded six years earlier. The curriculum remained the same, but the school's first cultural activities emerged. In 1858, a choir was formed – it eventually became the Orpheus Glee Club – and in 1865, Father Prosper Chaborel established a brass band. Overall, the institution's early years were modest – certainly not yet on the scale of a full-fledged university – but change was on the way.

A university charter

In 1866, the College of Ottawa received a royal university charter, the last one conferred before Confederation in 1867. In 1872, Thomas Foran graduated with the first bachelor of arts degree and, three years later, with a master of arts. At the time, the requirements for obtaining a master's degree were simple: two years after a candidate obtained his bachelor's degree, he could submit a written request for a master's to the College's superior; if the superior considered him a suitable candidate, he was granted the degree (a suitable candidate had a reputable profession, boasted a good reputation and was practising his religion).

In 1874, Father Joseph-Henri Tabaret, the College's superior, introduced a new curriculum focused largely on science and mathematics, while putting sports to good use as an educational tool. One of his goals was for each subject to be taught by specialists, namely professors who teach in only one discipline. He was also committed to providing the necessary equipment for conducting laboratory experiments. Father Tabaret believed that combining theory with practice facilitated learning. This reform attracted a greater number of students, and the college now had specialized faculty members.

Although Father Tabaret was convinced of the importance of bilingualism, the new 1874 curriculum considerably reduced the status of French as a teaching language. In fact, the complete bilingualism approach developed by the institution's founder to bring together Francophones and Anglophones was undermined with the opening of the Ottawa

Bien que le père Tabaret demeure convaincu de l'importance du bilinguisme, le nouveau programme d'études de 1874 réduit considérablement la place faite au français comme langue d'enseignement. En réalité, la belle stratégie du bilinguisme intégral élaborée par le fondateur de l'institution comme élément de réconciliation des francophones et des anglophones a du plomb dans l'aile, en raison de l'ouverture d'un collège protestant concurrent, l'Ottawa Collegiate Institute. Craignant qu'un grand nombre d'étudiants anglophones n'optent pour le nouvel établissement, les Oblats décident d'offrir tous les cours en anglais, dispensant ainsi les anglophones, plus nombreux, de suivre certains cours en français. Puisque l'établissement ne dispose pas du personnel nécessaire pour assurer l'enseignement complet aux francophones et aux anglophones dans leurs langues respectives, les étudiants de langue française suivront dorénavant leurs cours en anglais, sauf en littérature française et en religion.

Cependant, les objectifs visés par la prédominance de l'anglais ne seront pas vraiment atteints. Les catholiques anglophones continueront en effet de s'inscrire à l'Ottawa Collegiate Institute, et ce, malgré la menace de censure ecclésiastique. En revanche, le nombre de francophones va s'accroître, de sorte que l'institution reviendra en 1901 aux idéaux de ses fondateurs.

En plus de réformer le programme d'études, le père Tabaret voit à l'agrandissement physique de l'établissement. En 1886, le Collège loge plus de trois cents étudiants. Le bâtiment comprend une salle de spectacle, des laboratoires de physique et de chimie, un musée, une salle de récréation, des dortoirs, des chambres, un réfectoire, une bibliothèque, ainsi que des salles d'étude et de classe. Peu avant sa mort, le père Tabaret approuve les plans d'une magnifique chapelle de style mauresque, unique au Canada, œuvre du prêtre-architecte Georges Bouillon, à qui l'on doit l'ornementation intérieure de la cathédrale Notre-Dame et de la chapelle du Couvent de la rue Rideau à Ottawa.

Cette période voit également la naissance d'une véritable vie sociale, culturelle et sportive au Collège.

Collegiate Institute, a rival Protestant college. Worried that a large number of Anglophone students would choose to attend the new establishment, the Oblates decided to offer all courses in English, exempting Anglophones, the larger student population, from taking certain courses in French. Since the institution did not have the faculty necessary to ensure that both Anglophones and Francophones could receive full instruction in their respective language, Francophone students would study in English from then on, except for French literature and religion.

Despite the Oblate policy emphasizing English-language instruction, Anglophone Catholics continued to register at the Ottawa Collegiate Institute regardless of potential ecclesiastical restrictions. However, the number of Francophone students did increase, allowing the school to return to its founders' ideals by 1901.

In addition to restructuring the curriculum, Father Tabaret increased the physical size of the institution, and by 1886 the College boasted more than three hundred students. The building had an academic hall, physics and chemistry laboratories, a museum, a recreation hall, dormitories, a dining hall, a library, as well as study rooms and classrooms. Shortly before his death, Father Tabaret approved the plans for a magnificent Moorish-style chapel, unique in Canada, the work of priest-architect Georges Bouillon, who designed the interior of both Notre Dame Cathedral and the Rideau Street Convent Chapel in Ottawa.

This period also marked the emergence of a real social, cultural and athletic life at the College. In 1880, the English Debating Society, the first Anglophone student organization, was founded. Three years later, an alumni association was established, and in 1887, Francophone students launched the *Societé des débats français*, the French-language equivalent of the English Debating Society. Both clubs continue to enrich the social life on campus today.

A part of school life from the start, music also flourished. In 1873, Father Jean-Baptiste Balland reorganized the brass band, which then became

Ainsi est fondée, en 1880, la première association étudiante anglophone, l'English Debating Society. Trois ans plus tard naît une association des anciens. En 1887, c'est au tour des étudiants francophones de former la Société des débats français sur le modèle de l'English Debating Society. Ces sociétés étudiantes enrichissent toujours la vie sociale du campus.

Présente dès les débuts du Collège, la musique connaît aussi un essor. En 1873, le père Jean-Baptiste Balland réorganise la fanfare, qui devient la Société Sainte-Cécile, en l'honneur de la patronne des musiciens. Cette fanfare participe aux événements spéciaux de l'institution, tels l'anniversaire du supérieur, la Saint-Patrice et les fêtes religieuses. Elle acquiert de ce fait une réputation enviable non seulement à Ottawa, mais aussi à Montréal et à Québec. Ce bel élan est malheureusement perturbé en 1885 par un incendie qui détruit la salle de récréation, les instruments de musique et les partitions accumulées depuis vingt ans.

La première revue étudiante voit également le jour à la fin de cette période. En 1888, le professeur J. J. Griffin fonde *The Owl*, mensuel anglophone dirigé par une équipe de rédacteurs formée d'étudiants. La revue s'intéresse aux activités culturelles et sportives, aux événements de l'établissement ainsi qu'aux anciens, sans pour autant négliger l'actualité religieuse, la poésie et les chroniques littéraires.

Les sports, qui occupent une grande place dans la vie quotidienne des étudiants, font partie intégrante des études. Le Collège s'inscrit alors dans la tradition victorienne, qui préconise un esprit sain dans un corps sain. En 1881, une équipe de football est formée et, en 1885, le Club athlétique voit le jour. Le gris et le grenat deviennent ses couleurs d'où, depuis, le nom de Gee-Gees donné aux équipes sportives de l'institution, d'après la prononciation des deux « G » de « Garnet and Grey ».

the *Société Sainte-Cécile*, in honour of musicians' patron saint. The band took part in special events such as the superior's anniversary, Saint Patrick's Day and religious celebrations. It garnered quite a reputation for itself, in fact, not only in Ottawa but also in Montréal and Québec. Sadly, the school's musical flourish was interrupted in 1885 by a fire that destroyed the recreation hall, music instruments and partitions built up over twenty years.

The first student periodical was also established at the end of this period. In 1888, professor J. J. Griffin launched *The Owl*, a monthly Anglophone publication managed by a group of student editors. The periodical highlighted culture and sports, events on campus and alumni news, and covered religious events, also presenting poetry and literary chronicles.

Sports were a central focus of daily student life as well as an integral part of studies as the College adhered to the Victorian tradition that promoted a healthy mind in a healthy body. In 1881, a football team took to the field, and in 1885, the Athletic Club was founded. Garnet and grey were adopted as varsity colours. The double "G" that stands for these two colours explains the name Gee-Gees given to the institution's teams ever since.

Le Collège de Bytown, dans la basse-ville, en 1848.
The College of Bytown in Lowertown in 1848.
AUO-PHO-NB-38AH-1-6

Le Collège de Bytown, à gauche de la cathédrale Notre-Dame – lithographie de la basse-ville en 1855.
The College of Bytown situated to the left of Notre Dame Cathedral – lithograph of Lowertown in 1855.
BAC-LAC, C-000600

Le Collège de Bytown, dans la Côte-de-Sable, rue Wilbrod (aujourd'hui rue Séraphin-Marion), en 1856.
The College of Bytown in Sandy Hill, Wilbrod Street (now Séraphin Marion Street), in 1856.
AUO-PHO-NB-38A-1-77

Illustration du Collège d'Ottawa en 1879.
An illustration of the College of Ottawa in 1879.
AUO-38-*Canadian Illustrated News*, 12-07-1879

Prospectus du Collège de Bytown, appelé aussi Collège Saint-Joseph, en 1859.
The College of Bytown (also known as St. Joseph's College) leaflet in 1859.
AUO-PHO-NB-38AH-1-16

▶

La salle de lecture vers 1889.
The reading room around 1889.
AUO-PHO-NB-38A-1-85

La salle de spectacle de l'Université vers 1889.
The University's theatre hall around 1889.
AUO-PHO-NB-38A-1-83

Mgr Joseph-Eugène-Bruno Guigues,
fondateur du Collège de Bytown, en 1865.
Bishop Joseph-Eugène-Bruno Guigues,
founder of the College of Bytown, in 1865.
BAC-LAC, C-021864

St. Joseph's College, Ottawa City, C. W.

Under the Patronage of His Lordship the Right Rev. Dr. Guigues.

THIS Institution which owes its existence to the enlightened zeal of the Right Rev. Dr. GUIGUES, the present illustrious Bishop of Ottawa, was founded eleven years ago with the view of affording to the youth of both sections of the population, a sound religious training, together with a thorough knowledge of the English and French languages, and a complete literary and classical education.

No effort has been spared to render the Institution worthy of its destination. A thorough knowledge of both languages being of paramount importance in this section of the Province, every exertion will be made to make the descendants of French and English parents conversant with their mother-tongue, and practically instructed in both languages.

Those who are not Catholics, are dispensed from assisting at any religious exercise whatever within the College.

The plan of studies adopted in the College comprises three principal divisions :

1st.—A Preparatory course, for the younger Students to complete their elementary education, and prepare them for the study of the Classics.

2nd.—A Classical course.

3rd.—A Commercial course specially adapted for those who do not purpose studying Latin or Greek, and embracing all the higher branches of an English and French education.

Music, vocal or instrumental, may be attached to any of the foregoing divisions, but with a distinct charge.

Le père Joseph-Henri Tabaret : bâtisseur de l'Université d'Ottawa

Bien qu'il ne soit ni le fondateur de l'Université d'Ottawa ni le premier à en avoir dirigé les destinées, le père Joseph-Henri Tabaret est considéré comme son bâtisseur. C'est sous sa direction que le modeste Collège de Bytown a pris son envol pour devenir un établissement décernant des diplômes universitaires.

C'est à Saint-Marcellin, en France, que naît en 1828 Joseph-Henri Tabaret. Il s'embarque en 1850 pour le Canada-Uni et est ordonné prêtre à Bytown la même année. Il commence son apostolat à L'Orignal, dans l'Est ontarien. Son travail auprès des populations écossaise, irlandaise et canadienne-française le prépare au rôle d'éducateur auquel il aspire. Il passe à l'action en 1853, année où il est nommé supérieur du Collège de Bytown. Il est toujours en fonction lorsqu'il meurt en 1886, après avoir dirigé l'institution de main de maître pendant une trentaine d'années. Il aura été « l'âme et le cœur du collège », comme l'a si bien dit l'un de ses successeurs, le père Roger Guindon.

Depuis 1971, l'édifice de l'administration centrale de l'Université porte son nom. Une statue en bronze du père Tabaret, érigée en 1889 par les anciens du Collège, se dresse devant ce pavillon. En 1991, le Bureau des anciens et du développement souligne sa contribution exceptionnelle à l'épanouissement de l'établissement en nommant son bulletin *Tabaret*. Aujourd'hui, c'est le magazine de l'Université d'Ottawa qui rappelle fièrement le nom du bâtisseur de notre institution.

Father Joseph-Henri Tabaret: Builder of the University of Ottawa

Though he is neither its official founder nor its first leader, Father Joseph-Henri Tabaret is considered the builder of the University of Ottawa. It was under his leadership that the modest College of Bytown became a university-degree-granting institution.

Joseph-Henri Tabaret was born in 1828 in Saint-Marcellin, France. In 1850, he set out for the United Province of Canada and was ordained priest in Bytown that same year. He began his ministry in L'Orignal, Eastern Ontario. His work within the Scottish, Irish and French-Canadian communities prepared him for the role of educator, to which he had always aspired. It was in 1853, when he was appointed superior at the College of Bytown, that he was able to take on the role officially. After successfully leading the institution for thirty years, Father Tabaret died in 1886. In the eloquent words of Father Roger Guindon, one of his successors, he was "the heart and soul of the college."

In 1971, the building that houses the University's central administration was named after him. A bronze statue of Father Tabaret had already been erected by alumni in 1889 in front of the building. In 1991, the Alumni and Development Office further recognized his contribution to the institution's growth by naming its newsletter *Tabaret*. Today, the University of Ottawa magazine proudly carries the name of our institution's builder.

Le père Joseph-Henri Tabaret en 1879.
Father Joseph-Henri Tabaret in 1879.
AUO-PHO-NB-38-2757

Une journée de compétitions sportives à l'Université d'Ottawa à la fin du XIXe siècle.
Athletic competitions at the University of Ottawa at the end of the 19th century.
BAC-LAC, PA-100614

Les plus anciens artefacts conservés aux Archives de l'Université d'Ottawa : les clés du premier édifice du Collège de Bytown en 1848.
The oldest artefacts at the University of Ottawa Archives: the keys to the first College of Bytown building in 1848.
AUO-ART-286-31

Dévoilement de la statue du père Tabaret en 1889.
The statue of Father Tabaret is unveiled in 1889.
AUO-PHO-NB-38AH-3-6

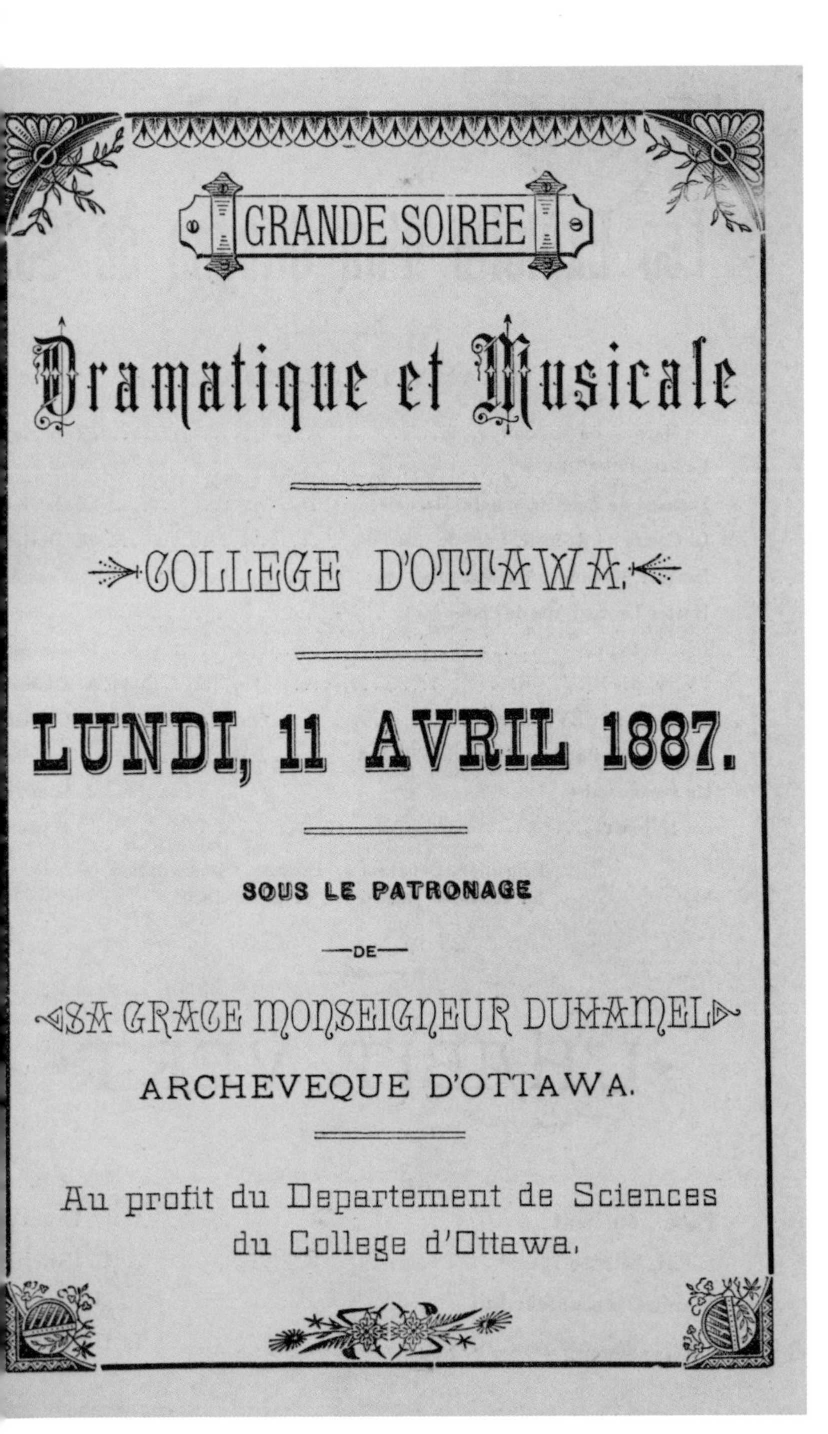

GRANDE SOIREE

Dramatique et Musicale

COLLEGE D'OTTAWA.

LUNDI, 11 AVRIL 1887.

SOUS LE PATRONAGE

—DE—

SA GRACE MONSEIGNEUR DUHAMEL

ARCHEVEQUE D'OTTAWA.

Au profit du Departement de Sciences
du College d'Ottawa.

Programme de la « Grande soirée dramatique et musicale » présentée au Collège d'Ottawa, le 11 avril 1887.
The program for the grand evening of drama and music presented at the College of Ottawa on April 11, 1887.
AUO-38, Programme, 1887

The Owl, première revue étudiante, fondée en 1888.
The Owl, the first student periodical, established in 1888.
AUO-96-*The Owl*-1890

La fanfare du Collège d'Ottawa en 1885-1886.
The College of Ottawa brass band in 1885-1886.
AUO-PHO-NB-38A-2-596

La chorale du Collège d'Ottawa, dirigée par le père Balland, en 1884.
The College of Ottawa choir, led by Father Balland, in 1884.
AUO-PHO-NB-38AH-2-15

Les diplômés du cours commercial du Collège d'Ottawa en 1886.
Graduates of the College of Ottawa commercial course in 1886.
AUO-PHO-NB-38AH-2-32

Les membres de la Société des débats français, fondée en 1887.
Members of the *Société des débats français*, established in 1887.
AUO-PHO-NB-38AH-4-42

Thomas Foran : premier diplômé de l'Université d'Ottawa

Thomas Foran naît en 1849, à Aylmer, au Québec. Il entre au Collège de Bytown à l'âge de neuf ans, ce qui fait de lui le plus jeune élève de l'établissement. Il y poursuit ses études jusqu'en 1867. Au cours de ces années, le pensionnaire écrit régulièrement à ses parents car, comme il ne retourne à Aylmer que pour les vacances, le courrier représente le seul moyen dont il dispose pour communiquer avec sa famille.

Ses études de droit terminées, Thomas Foran est admis en 1871 au barreau du Québec. C'est à lui que, le 9 avril 1872, le Collège d'Ottawa décerne son tout premier baccalauréat ès arts. C'est encore lui qui reçoit, en 1875, la première maîtrise de l'institution. Le nouvel avocat pratique d'abord à Montréal puis, en 1880, il vient s'établir à Hull. Me Foran, reconnu comme l'un des meilleurs avocats du Canada, rédige de nombreux livres et articles juridiques. En plus de pratiquer sa profession, il s'intéresse à l'éducation et à la politique. En 1884, il est élu membre de la Commission scolaire d'Aylmer, qu'il préside de 1886 à 1894, et il s'engage sur la scène municipale où il siège au conseil de sa ville natale de 1889 à 1895.

Très attaché à son *alma mater*, Thomas Foran demeurera actif toute sa vie auprès de l'Association des anciens. À titre de premier diplômé de l'établissement et de figure emblématique des étudiants anglophones, il est invité à toutes les cérémonies importantes de l'Université. En 1928, le Sénat lui confère un doctorat honorifique en droit.

Ce doyen des avocats pratiquant au Canada meurt en 1939, à l'âge de quatre-vingt-dix ans, renversé par une voiture sur le campus où il avait passé les plus belles années de sa vie. L'Université d'Ottawa perd alors un fidèle ami et un témoin privilégié de l'évolution qu'elle a connue depuis ses premières années de fondation.

Thomas Foran: The University of Ottawa's first graduate

Thomas Foran was born in 1849 in Aylmer, Quebec. He entered the College of Bytown at the age of nine, making him the youngest student at the institution. He continued his studies here until 1867. During this time, the only way he could communicate with his parents was by letter, since he went home only during holidays.

After his legal studies, Thomas Foran was called to the Quebec Bar in 1871. On April 9, 1872, he received the first bachelor of arts degree from the College of Ottawa and, in 1875, he also received the College's first master's degree. The young lawyer practised in Montréal before moving to Hull in 1880. Recognized as one of the best lawyers in Canada, Foran wrote many legal books and articles. In addition to practising law, he was also involved in education and politics. In 1884, he was elected to the Aylmer School Board, which he chaired between 1886 and 1894. From 1889 to 1895, he was active in municipal affairs, serving as a member of city council in his native Aylmer.

Very attached to his *alma mater*, Thomas Foran remained actively involved with the Alumni Association throughout his life. As the University's first graduate and a standard-bearer for Anglophone students, Foran was invited to all of the University's key ceremonies. In 1928, the Senate granted him an honourary doctorate of law.

Dean of Canadian lawyers, Thomas Foran died in 1939 at the age of ninety, struck down by a car on the campus where he had spent the best years of his life. The University of Ottawa lost a faithful friend on that day, one who had witnessed its development from its earliest years.

Thomas Foran en 1872.
Thomas Foran in 1872.
BAnQ-O, PE-47-3

L'université pontificale
(1889-1965)

The Pontifical University
(1889-1965)

Recteurs de l'Université d'Ottawa

1889-1898	James M. McGuckin, o.m.i.
1898-1901	Henri-Antoine Constantineau, o.m.i.
1901-1905	Joseph-Édouard Émery, o.m.i.
1905-1911	William Murphy, o.m.i.
1911-1914	Adrien-Bruno Roy, o.m.i.
1914-1915	Henri Gervais, o.m.i.
1915-1921	Louis Rhéaume, o.m.i.
1921-1927	François-Xavier Marcotte, o.m.i.
1927-1930	Uldéric Robert, o.m.i.
1930-1936	Gilles Marchand, o.m.i.
1936-1942	Joseph Hébert, o.m.i.
1942-1946	Philippe Cornellier, o.m.i.
1946-1952	Jean-Charles Laframboise, o.m.i.
1952-1958	Rodrigue Normandin, o.m.i.
1958-1964	Henri F. Légaré, o.m.i.
1964-1965	Roger Guindon, o.m.i.

Rectors of the University of Ottawa

1889-1898	James M. McGuckin, OMI
1898-1901	Henri-Antoine Constantineau, OMI
1901-1905	Joseph-Édouard Émery, OMI
1905-1911	William Murphy, OMI
1911-1914	Adrien-Bruno Roy, OMI
1914-1915	Henri Gervais, OMI
1915-1921	Louis Rhéaume, OMI
1921-1927	François-Xavier Marcotte, OMI
1927-1930	Uldéric Robert, OMI
1930-1936	Gilles Marchand, OMI
1936-1942	Joseph Hébert, OMI
1942-1946	Philippe Cornellier, OMI
1946-1952	Jean-Charles Laframboise, OMI
1952-1958	Rodrigue Normandin, OMI
1958-1964	Henri F. Légaré, OMI
1964-1965	Roger Guindon, OMI

En 1889, le rêve de Mgr Joseph-Thomas Duhamel, ancien élève du Collège de Bytown et successeur de Mgr Guigues à la tête du diocèse d'Ottawa, devient réalité : l'établissement est élevé au rang d'université pontificale par le pape Léon XIII. Pour marquer l'événement, de grandes fêtes sont organisées, au cours desquelles les anciens dévoilent une statue en bronze du père Tabaret. Les célébrations sont toutefois assombries par la mort soudaine, au cours du banquet, du président de l'Association des anciens, Louis-Alphonse Olivier. Premier juge francophone des Comtés unis de Prescott et Russell, dans l'est de l'Ontario, il avait obtenu l'année précédente le premier doctorat honorifique décerné par le Collège.

Le statut de l'institution ayant changé, le supérieur prend dorénavant le titre de recteur et on crée le poste de chancelier apostolique qui sera occupé par l'archevêque d'Ottawa jusqu'en 1965. L'innovation la plus marquante demeure toutefois l'organisation des trois premières facultés : arts, philosophie et théologie. À ces facultés s'ajoute bientôt celle de droit, qui ne survivra que quatre ans. Elle sera dirigée à ses débuts par sir John Thompson, premier ministre du Canada de 1892 à 1894, dont une résidence étudiante rappelle le nom.

En 1892, on recense trois cent quatre-vingt-neuf étudiants, dont un très grand nombre est inscrit au cours commercial conduisant à un diplôme d'études secondaires. Cinquante-six pour cent d'entre eux sont originaires de l'Ontario, alors que vingt pour cent viennent du Québec et presque autant des États-Unis, dont plusieurs Franco-Américains. Moins de cinq pour cent des étudiants sont issus des autres provinces canadiennes ou de l'Europe. Les droits de scolarité sont de trente dollars, montant auquel les pensionnaires doivent ajouter cent dix dollars pour la pension, vingt dollars pour la lessive et la literie, deux dollars pour les frais médicaux et un dollar pour la bibliothèque, pour un total de cent soixante-trois dollars par année, soit l'équivalent de trois à quatre mois de salaire pour un ouvrier à l'époque.

Cette année-là, l'Université confère vingt-sept diplômes universitaires. Si le nombre paraît modeste,

In 1889, the dream of Archbishop Joseph-Thomas Duhamel, an alumnus of the College of Bytown and successor to Bishop Guigues at the head of the Ottawa Diocese, became a reality when the College was granted a pontifical university charter by Pope Leo XIII. Great festivities marked the event and the alumni unveiled a bronze statue of Father Tabaret. However, the sudden death of the Alumni Association president, Louis-Alphonse Olivier, during the banquet marred the celebrations. Olivier was the first Francophone judge of the United Counties of Prescott and Russell in Eastern Ontario, and the previous year he had received the first honourary doctorate conferred by the College.

With this change in status, the institution's superior took on the title of rector. In addition, the position of apostolic chancellor, a title held by the Archbishop of Ottawa until 1965, was established. The most significant change was the establishment of the first three faculties, namely Arts, Philosophy and Theology. The Faculty of Law was created soon after but survived for only four years, led at first by Sir John Thompson, who was Canada's Prime Minister between 1892 and 1894. A student residence on campus bears his name today.

In 1892, the institution had three hundred and eighty-nine students, many of whom were registered in the commercial course leading to a high school degree. Fifty-six percent of students were from Ontario, twenty percent from Quebec and almost twenty percent from the United States, several of whom were Franco-American. Less than five percent of students came from other Canadian provinces or from Europe. Tuition fees had been established at thirty dollars per year, but students in residence had to pay an additional one hundred and ten dollars for board, twenty dollars for laundry and bedding, two dollars for medical fees, and one dollar for the library, for a total of one hundred and sixty-three dollars per year, the equivalent of three or four months' salary for a worker at the time.

That year, the University conferred twenty-seven degrees, seemingly a modest number, yet several of these recipients would reach the top of the

il en va tout autrement de la notoriété des titulaires, puisque plusieurs d'entre eux se hisseront au sommet de la hiérarchie ecclésiastique, politique ou judiciaire : Michael Fallon deviendra évêque de London, en Ontario, Henri Gervais, recteur de l'Université d'Ottawa, Télesphore Fournier, ministre fédéral du Revenu et de la Justice, et Denis Murphy, juge en chef de la Cour suprême du Canada.

Toujours en 1892, le corps professoral compte une cinquantaine de membres, majoritairement des oblats, et le personnel de soutien se compose d'une quarantaine de personnes. La population d'Ottawa se chiffre à environ quarante-cinq mille habitants et celle du Canada à cinq millions.

Au tournant du siècle, les heures de cours et les périodes d'études sont longues et les obligations religieuses, nombreuses. De plus, la discipline est très sévère. Par exemple, l'étudiant ne peut sortir de l'enceinte de l'établissement sans autorisation, aucune publication n'y est introduite sans l'approbation du préfet de discipline et toute correspondance des étudiants peut être lue par la direction. Un manquement aux règles peut entraîner l'expulsion. Cela dit, une étude attentive des procès-verbaux du Conseil d'administration montre qu'il s'agit là de cas rares. Ce qui apparaît aujourd'hui bien strict faisait partie des mœurs de l'époque.

Heureusement, ce tableau austère cache une vie sportive et culturelle très intense. En effet, les étudiants peuvent s'épanouir en pratiquant de nombreux sports, notamment le baseball, le hockey, la crosse et, surtout, le football dont l'équipe demeure la meilleure de toute la ligue majeure. De fait, entre 1884 et 1912, année où l'Université quitte le football majeur, les Gee-Gees remportent dix-neuf des vingt-neuf championnats. Ces exploits s'expliquent en partie par le dynamisme de l'entraîneur, le père William Stanton, dont une résidence étudiante perpétue la mémoire. Les étudiants s'adonnent également à des activités telles que la raquette, l'escrime, le patinage et la construction annuelle d'un palais de glace. Des excursions à l'extérieur, comme à la caverne Laflèche, dans la Gatineau, ou à la chute des Chaudières, à Hull, et les parties de sucre au printemps agrémentent également la vie estudiantine.

ecclesiastical, political and legal hierarchies: Michael Fallon became Bishop of London, Ontario; Henri Gervais, rector of the University of Ottawa; Télesphore Fournier, federal Minister of Revenue and Justice; and Denis Murphy, Chief Justice of the Supreme Court of Canada.

In 1892, the University had some fifty professors, most of them Oblate Fathers, and about forty support staff members. At this time, Ottawa had approximately forty-five thousand residents and Canada's population numbered five million.

At the turn of the century, courses and study periods were long and religious obligations numerous at the institution. Discipline was also very strict. For instance, students were not allowed to leave the establishment without permission, no publication could be brought in without approval from the discipline prefect, and the administration reserved the right to read students' correspondence. Students who did not abide by these rules risked being expelled. Nevertheless, a close look at the minutes of the Administrative Committee shows that expulsions occurred rarely. What would be considered strict today was normal practice at the time.

Despite this harsh picture, students enjoyed an intense athletic and cultural life on campus. Students played numerous sports such as baseball, hockey, lacrosse, and especially football. The football team was the best in the major league. Between 1884 and 1912, when the University quit major league football, the Gee-Gees won nineteen out of twenty-nine championships. These achievements were due in part to the leadership of the team's coach, Father William Stanton. A student residence was later named in his honour. Students also enjoyed snowshoeing, fencing and skating, and they participated in the annual construction of an ice palace. Field trips to the Laflèche Caves in the Gatineau Valley or the Chaudière Falls in Hull and spring sugar-bush parties also enriched student life.

Among other pastimes, students were involved in musical, theatrical or literary activities. For example, students published their works in *The Owl* until 1898 and then in *The University of Ottawa Review*

Parmi les autres loisirs, mentionnons la musique, le théâtre et la littérature. Ainsi, les étudiants exercent leur plume en écrivant dans *The Owl* jusqu'en 1898 et, par la suite, dans *The University of Ottawa Review* jusqu'en 1915. Une revue littéraire de langue française voit également le jour en 1900. Quant aux jeunes Américains, ils peuvent se regrouper au sein du Washington Club, fondé en 1905.

La direction a tout intérêt à rendre agréable le séjour des étudiants, particulièrement celui des pensionnaires dont l'année universitaire s'étire de septembre à juin, sans possibilité de retourner chez leurs parents pour les fêtes de Noël et de Pâques. C'est dans ce contexte que la famille universitaire prend tout son sens et que s'impose un bon équilibre entre études, obligations religieuses et divertissements. Le plan d'études de 1893 insiste d'ailleurs sur ce dernier point : « Donnez-leur des jeux et alors les récréations seront honnêtes, agréables et utiles. Enlevez les amusements et les récréations seront toujours languissantes, dangereuses pour la morale. »

À la fin des années 1890, le bâtiment principal ne suffit plus à l'enseignement des sciences. Il faut construire un nouvel édifice pour ces disciplines et pour loger le musée. La construction de l'immeuble en pierre calcaire provenant d'une carrière où se trouve aujourd'hui le Casino du Lac-Leamy, à Gatineau, commence en 1899. Inauguré officiellement en 1901, le bâtiment accueille notamment des laboratoires, une bibliothèque et le premier amphithéâtre du campus. Le centre d'attraction de l'édifice est sans contredit le musée, qui abrite des collections de minéraux, de fossiles, de pièces de monnaie et de médailles. Ce sont toutefois ses collections zoologiques et ornithologiques qui demeurent les plus imposantes, avec des crocodiles, des tortues, des serpents naturalisés et un gigantesque orang-outan capable d'épouvanter le plus brave des étudiants. Ces collections sont depuis longtemps disparues du pavillon des sciences, qui porte maintenant le nom de Salle académique.

Le 2 décembre 1903, un incendie bouleverse la vie paisible de la maison d'enseignement. Les flammes réduisent en cendres le bâtiment principal. Trois personnes y perdent la vie. La cause exacte du feu

until 1915. A French language literary magazine was launched in 1900, and American students had the opportunity to meet as members of the Washington Club established in 1905.

The administration had an interest in making the student's stay pleasant. This objective was particularly important for students in residence whose academic year started in September and ended in June and who did not return home for Christmas and Easter holidays. It is in this context that the university family emerged and that a balance between studies, religious obligations and entertainment became essential. In fact, the 1893 academic plan emphasized this last point: "Give them games and their leisure time will be filled with honest, enjoyable and useful activities. Take away their entertainment, and their leisure time will always be dull and dangerous to morality."

By the end of the 1890s, the main building was no longer large enough for sciences, and a new one had to be erected to house these disciplines and a museum. In 1899, the construction of the building began, using limestone from a quarry where Gatineau's *Casino du Lac-Leamy* is today. Officially opened in 1901, the building housed laboratories, a library and the first auditorium on campus. Its main attraction, however, was without a doubt the museum, which contained collections of minerals, fossils, coins and medals. The most impressive ones were the zoological and ornithological collections including preserved crocodiles, turtles, snakes and a giant orangutan that frightened even the bravest student. The collections have long since been removed from the science building, which is now known as the Academic Hall.

On December 2, 1903, a fire disrupted the institution's peaceful life. Flames reduced the main building to ashes and three people lost their lives. The exact cause of the fire is still a mystery, but it is known that the fire started in a room where a play had been performed the previous evening. Some have suggested that a forgotten cigarette may have caused the disaster, but this was never proven.

demeure inconnue, mais on sait qu'il a pris naissance dans une salle où une pièce de théâtre avait été jouée la veille. Certains ont évoqué la possibilité d'une cigarette oubliée comme source du désastre, mais rien ne prouve cette affirmation.

Comme il faut réagir vite pour sauver l'année scolaire, la direction fait construire un édifice temporaire, de piètre qualité, surnommé le « poulailler », pour loger les étudiants. L'édifice des sciences devient le nouveau pavillon central. Tous les cours y sont donnés. Les oblats logent dans la salle du musée, tandis que la chapelle et la salle de récréation sont aménagées au sous-sol. Loin de se laisser abattre, la direction décide de reconstruire au même endroit. Le recteur, le père Joseph-Édouard Émery, souhaite un édifice plus imposant que le précédent. Il fait appel à l'architecte new-yorkais A. O. Von Herbulis, qui a déjà tracé les plans de plusieurs immeubles aux États-Unis, dont quelques-uns de Georgetown, Washington D.C., et de l'Université oblate Notre-Dame, Indiana. Von Herbulis soumet les plans d'un édifice central, mais aussi ceux d'un campus grandiose, avec une bibliothèque monumentale. Ces magnifiques dessins architecturaux, aujourd'hui exposés dans la rotonde du pavillon Tabaret, ont été restaurés et donnés en cadeau par l'Université Saint-Paul en 1998, à l'occasion du cent cinquantième anniversaire de l'institution. Ils représentent un plan directeur à long terme, mais les finances de l'établissement ne permettront jamais d'entreprendre ces travaux colossaux.

La cérémonie de la pose de la pierre angulaire du nouvel édifice, aujourd'hui le pavillon Tabaret, se déroule en mai 1904. Le cardinal James Gibbons, archevêque de Baltimore, préside la cérémonie. Le délégué apostolique, la majorité des archevêques et évêques catholiques du pays, le gouverneur général du Canada, le comte de Minto, et le premier ministre du pays, sir Wilfrid Laurier, assistent à l'événement. La présence de tous ces prélats et notables témoigne de la place éminente qu'occupe alors l'Université d'Ottawa au sein de la société canadienne.

Contrairement à ce qui a souvent été écrit, Von Herbulis n'est pas l'architecte du Capitole de la capitale américaine, mais il s'en est grandement inspiré

Since something had to be done quickly to save the academic year, the administration built a temporary, poor-quality building, nicknamed the "henhouse," to lodge the students. The science building became the new central hall. All courses were taught there, the Fathers lived in the museum, and the chapel and the recreation room were set up in the basement. The administration was undeterred and decided to rebuild on the same site. The rector at the time, Father Joseph-Édouard Émery, wanted the new building to be more impressive than the previous one and so he hired a New York architect by the name of A.O. Von Herbulis, who had designed plans for several buildings in the United States, including some in Georgetown, Washington, D.C., and some for the Oblate University of Notre Dame in Indiana. Von Herbulis submitted plans not only for a central building, but also for a grandiose campus including a vast library. The magnificent architectural designs, now on display in the rotunda of Tabaret Hall, were restored and donated by Saint Paul University in 1998 for the University's 150th anniversary. They represent a long-term master plan; this colossal work was never undertaken due to financial constraints.

The cornerstone of the building, now known as Tabaret Hall, was laid in May 1904. Cardinal James Gibbons, Archbishop of Baltimore, presided over the ceremony. The apostolic delegate, most of the country's Catholic archbishops and bishops, Governor General of Canada Count Minto, and Prime Minister Wilfrid Laurier were also present at the event. The distinguished guest list testified to the unique place the University held within Canadian society at the time.

Contrary to what has often been written, Von Herbulis did not design the Capitol Building in Washington, although the building inspired the plans for Tabaret Hall. The classical Greek architectural style, monolithic columns and ornamentation give the building its distinctive character. Fully fireproof, this was one of the first buildings in Canada built of reinforced concrete. When the building was inaugurated in 1905, it did not look exactly like the architect's plan. Due to financial constraints, only

pour dessiner les plans du pavillon Tabaret. Le style architectural classique grec, les colonnes monolithes et les ornements confèrent à ce pavillon un cachet bien particulier. Entièrement à l'épreuve du feu, il est l'un des premiers bâtiments au Canada à avoir été construit en béton armé. Inauguré en 1905, l'édifice ne ressemble cependant pas encore au plan de l'architecte puisque, pour des raisons financières, seule la partie centrale est réalisée. Une petite coupole, provisoire, remplace le majestueux dôme prévu à l'origine. L'aile sud, dite l'aile des Pères puisqu'elle loge les oblats, est construite en 1914.

L'enseignement en français est progressivement rétabli à partir de 1901 et les annuaires sont publiés dans les deux langues. Le bilinguisme n'est toutefois pas imposé aux anglophones qui s'y opposent, mais cela n'apaise pas pour autant les tensions linguistiques. En 1915, faute de pouvoir trouver un terrain d'entente, la majorité des oblats irlandais quittent l'Université. Le nombre d'étudiants anglophones chute de deux cent quatre-vingt-dix-sept à seulement quatre-vingt-cinq, et la direction doit embaucher des professeurs anglophones laïques, ce qui accroît le fardeau financier de l'institution.

Cette période se termine sur une note sombre, avec l'entrée du Canada dans la Première Guerre mondiale. Toutefois, le conflit ne bouleverse pas la vie quotidienne de l'établissement, entre 1914 et 1918, la grande majorité des élèves n'ayant pas encore l'âge d'y participer. Par contre, la grippe espagnole de 1918 semble traumatiser davantage les étudiants, selon le témoignage d'un pensionnaire, Louis Tittley. En effet, les deux églises voisines sonnent constamment le glas pour annoncer les obsèques. De plus, toutes les activités publiques à l'Université sont annulées et un des édifices du campus, le « poulailler », est transformé en hôpital d'urgence. M. Tittley se rappelle également la tristesse qui régnait. Un de ses confrères de classe perd d'ailleurs ses neuf frères et sœurs dans l'épidémie, restant ainsi le seul enfant survivant de la famille. À l'échelle planétaire, vingt millions de personnes sont mortes dans ce fléau, alors que les balles et les obus font quatorze millions de victimes.

the building's central part had been finished by that time. In addition, a small dome had been temporarily installed instead of the majestic one originally planned. In 1914, the south wing was added. It was known as the Fathers' wing because the Oblate Fathers lived there.

Teaching in French was gradually reintroduced as of 1901, and the institution published its calendars in both French and English. Bilingualism was not imposed upon Anglophones who were against it; however, this policy did not ease the linguistic tensions. In 1915, most Irish Oblates left the University since no middle ground could be found. The number of Anglophone students dropped from two hundred and ninety-seven to eighty-five, and the administration had to hire lay Anglophone professors, thus increasing the institution's financial burden.

This period ended on a sombre note when Canada entered World War I. This conflict did not affect the institution's daily operations between 1914 and 1918 since most students were not old enough to join the troops. However, the 1918 Spanish influenza epidemic traumatized the students even more than the war, according to one of the students in residence, Louis Tittley. In fact, the two nearby churches constantly tolled their bells to announce funerals. All public activities at the University were cancelled and one of the buildings on campus, the "henhouse," was transformed into an emergency hospital. Mr. Tittley also remembers the sadness that prevailed. For example, during the epidemic, one of his classmates lost his nine sisters and brothers and was the only surviving child of the family. Twenty million people died during the epidemic worldwide, while the war's bullets and shells claimed fourteen million victims.

From one war to another (1919-1945)

At the end of World War I, the University's administration introduced several new programs over a period of two decades. In 1929, it founded the Faculty of Canon Law, and in 1936, the Faculty of Arts offered the first translation course in Canada. In the 1930s, the University established the Library School, the School of Music and the School of

D'une guerre à l'autre (1919-1945)

Au cours des deux décennies qui suivent la Première Guerre mondiale, l'administration introduit de nouveaux programmes et, en 1929, elle fonde la Faculté de droit canon. En 1936, la Faculté des arts offre le premier cours de traduction au Canada. Sont créées, par ailleurs, dans les années 1930, les écoles de bibliothécaires, de musique et des hautes études politiques, embryon de la Faculté des sciences sociales, ainsi que les instituts de missiologie, de psychologie et d'éducation.

Fondée en 1923, l'École normale de l'Université d'Ottawa joue un rôle primordial dans la communauté franco-ontarienne. Reconnue par le gouvernement provincial en 1927, elle forme surtout des enseignantes francophones pour les écoles primaires de la province. La création de l'École normale et la fondation, en 1933, de l'École de gardes-malades ont pour effet d'attirer une clientèle féminine dans une institution traditionnellement réservée aux garçons. S'il se trouve déjà des femmes parmi les diplômés de l'Université d'Ottawa, le Sénat ayant approuvé dès 1919 un programme de baccalauréat pour les collèges affiliés et conféré la même année un diplôme à quatre religieuses, ces étudiantes n'étaient cependant pas encore autorisées à fréquenter le campus.

Bien que l'Université d'Ottawa ait obtenu le droit d'affilier des collèges dès la fin du XIXe siècle, ce n'est qu'à partir des années 1920 que les Oblats acceptent des collèges catholiques de partout au pays. En 1930, on compte parmi ceux-ci les collèges Bruyère, Notre-Dame et St. Patrick d'Ottawa, et le Collège de Sudbury, en Ontario, le Collège Saint-Jean d'Edmonton, en Alberta, ainsi que les collèges Mathieu de Gravelbourg, Notre-Dame de Wilcox, Sacré-Cœur de Regina et St. Thomas de Battleford, en Saskatchewan. À cette liste s'ajoute, à partir de 1947, le St. Jerome's College de Kitchener, en Ontario. Deux institutions sont également affilées à l'Université d'Ottawa : le Petit Séminaire d'Ottawa en 1926 et le Scolasticat du Sacré-Cœur de Lebret, en Saskatchewan, en 1939.

Political Studies, the precursor to the Faculty of Social Sciences, as well as the institutes of Missiology, Psychology and Education.

Established in 1923, the University of Ottawa Normal School played a vital role in the Franco-Ontarian community. Recognized by the provincial government in 1927, the school specifically trained Francophone teachers for the province's elementary schools. The Normal School and the School of Nursing, established in 1933, started to attract women to an institution traditionally reserved for men. Although women had already attended the University of Ottawa since 1919 when the Senate approved a bachelor degree program for affiliate colleges and conferred degrees to four nuns that same year, they were not permitted to frequent the campus.

The University had received the right to affiliate colleges at the end of the 19th century, but it was only in the 1920s that the Oblates accepted Catholic colleges from across the country. In 1930, some of the colleges affiliated included Ottawa's Bruyère, Notre Dame and St. Patrick; the College of Sudbury, Ontario; *Collège Saint-Jean* in Edmonton, Alberta; Saskatchewan's *Collège Mathieu* in Gravelbourg, Notre Dame College in Wilcox, *Collège du Sacré-Cœur* in Regina and St. Thomas College in Battleford. St. Jerome's College in Kitchener, Ontario, became affiliated in 1947. Two other institutions became affiliated with the University, namely the Ottawa Junior Seminary in 1926, and the *Scolasticat du Sacré-Cœur* in Lebret, Saskatchewan, in 1939.

In 1932, an important academic milestone was achieved when graduate programs were introduced at the Faculty of Arts. In 1936, the administration introduced correspondence courses for credit and the following year a credited program for part-time students. Overall, during the inter-war years, the institution launched several programs that attracted new clienteles.

Tabaret Hall was also completed during this time. The expansion began in 1922 with the Waller wing, also known as the Marcotte wing in honour of the rector at the time, which housed dining halls and

En 1932, une étape importante est franchie sur le plan scolaire avec l'implantation de programmes d'études supérieures à la Faculté des arts. Puis l'administration instaure, en 1936, des cours par correspondance avec crédits et, l'année suivante, un programme avec crédits pour les étudiants à temps partiel. En somme, l'établissement lance pendant l'entre-deux-guerres plusieurs programmes qui attirent de nouvelles clientèles.

Cette période est aussi marquée par l'achèvement de la construction du pavillon Tabaret. Les premiers travaux d'agrandissement commencent en 1922 avec l'aile Waller, aussi appelée l'aile Marcotte, en l'honneur du recteur de l'époque. Les réfectoires et les salles d'études occupent ce nouvel espace. En 1930, la dernière étape de la construction s'amorce avec l'érection de l'aile nord, appelée à loger les dortoirs, un gymnase et une chapelle.

Quant au musée de l'édifice des sciences, on le transforme en salle de spectacle en 1923. Ce théâtre, où ont été donnés depuis des milliers de pièces, de concerts et de représentations diverses, constitue aujourd'hui, sous le nom de « Salle académique », la plus ancienne salle de spectacle de la région de la capitale fédérale. À partir de Noël 1931, l'ancienne chapelle de cet édifice trouve une nouvelle vocation en étant mise à la disposition des sans-travail. La première année, un réveillon y est offert à cent cinquante chômeurs. L'Université d'Ottawa contribue ainsi, à sa façon, à aider les gens touchés par la Grande Crise des années 1930.

Le campus s'enrichit en outre de deux nouveaux bâtiments. Le premier, attenant au pavillon Tabaret, est construit en 1920. Appelé « Maison des sœurs », il héberge les Petites sœurs de la Sainte-Famille, chargées des travaux domestiques à l'Université. Le second, érigé en 1931, accueille l'École normale de l'Université d'Ottawa. Ce pavillon, qui porte aujourd'hui le nom de Hagen, en l'honneur du premier doyen de l'École des études supérieures, loge la Faculté des études supérieures et postdoctorales. Malgré ces ajouts, le campus demeure bien modeste comparativement à ce qu'il deviendra plus tard.

study halls. In 1930, the last phase was completed as the north wing was constructed to house dormitories, a gymnasium and a chapel.

In 1923, the museum in the science building was transformed into a theatre. After hosting thousands of plays, concerts and various shows, this building, known as the Academic Hall, is now the oldest theatre in the National Capital Region. As of Christmas 1931, the building's former chapel was made available to the unemployed, and the first year, a dinner was organized after the religious service for one hundred and fifty unemployed. In this way, the University of Ottawa helped those affected by the Great Depression of the 1930s.

Two new buildings were erected on campus. The first one, built in 1920 adjacent to Tabaret Hall, was the "Sisters' House" that housed the Little Sisters of the Holy Family who tended to domestic duties at the University. The second one, erected in 1931, housed the University of Ottawa Normal School. Today it bears the name Hagen in honour of the first dean of the School of Graduate Studies, and it houses the Faculty of Graduate and Postdoctoral Studies. Despite these additions, the campus was still quite modest compared to what it would later become.

Student life developed with the establishment in 1943 of a student association, grouping the main student organizations and two new newspapers, still a part of student life on campus today.

In 1932, the *Société des débats français* launched *La Rotonde* which, in 1943, became the voice of the *Association des étudiants de langue française*. The newspaper informed its readers of all events involving the University of Ottawa, its leaders and its professors. The newspaper also addressed current issues, strongly condemning communism and atheism while defending Catholic youth. Subject to the administration's scrutiny, the paper did not criticize the order established at the University. However, future events would prove that it would not always be this way.

Le rayonnement de la vie étudiante se manifeste par la fondation, en 1943, d'une association regroupant les principaux organismes étudiants et la création de deux nouveaux journaux, encore bien présents sur le campus de nos jours.

En 1932, la Société des débats français fonde *La Rotonde* qui devient, en 1943, l'organe de l'Association des étudiants de langue française. Le journal informe sa clientèle des événements touchant l'Université d'Ottawa, ses dirigeants et ses professeurs. *La Rotonde* s'intéresse également à des sujets d'actualité, condamnant le communisme et l'athéisme, d'une part, et se portant, d'autre part, à la défense de la jeunesse catholique. Sous le regard attentif de l'administration, le journal se garde de critiquer l'ordre établi à l'Université. Il n'en sera pas toujours ainsi.

Le projet d'un journal étudiant anglophone mûrissait depuis la fondation de *La Rotonde*. En 1942, le rêve se réalise avec la création par l'English Debating Society du *Fulcrum* qui passe, en 1946, aux mains de l'English Students' Association, regroupée au sein de la Fédération des étudiants. Le journal s'intéresse surtout à l'English Debating Society, à la Fédération des étudiants, aux activités culturelles et sportives du campus ainsi qu'aux anciens. Il traite beaucoup des professeurs et des administrateurs de l'institution, de même que de questions religieuses et du bilinguisme au Canada. À l'instar de *La Rotonde*, le journal tient soigneusement ses lecteurs au courant de la participation des anciens à la Seconde Guerre mondiale.

Ce conflit est d'ailleurs l'élément marquant de la fin de cette période. En octobre 1939, la direction approuve la formation du Corps-école d'officiers canadiens de l'Université d'Ottawa, composé d'une compagnie, d'un quartier général et de trois pelotons. L'année suivante, le contingent est autorisé à devenir bataillon. En l'espace d'une année, l'unité atteint un effectif total de cinq cent cinquante hommes. Le Corps-école vise à former des officiers détenteurs d'une formation universitaire pour la milice active canadienne non permanente. Soulignons que les étudiants n'ont pas à s'enrôler dans l'armée avant la

The idea for an Anglophone newspaper was considered ever since *La Rotonde* was founded. In 1942, the dream came true as the English Debating Society launched *The Fulcrum*. In 1946, the English Students Association, a part of the Student Federation, took over the newspaper. *The Fulcrum* addressed events involving the English Debating Society and the Student Federation, cultural and athletic activities on campus, and any and all events related to the alumni. It discussed the institution's administration and professors as well as religious issues and bilingualism in Canada. Just as *La Rotonde* did, *The Fulcrum* kept its readers well informed about the alumni who were participating in World War II.

World War II was in fact a very significant event underlining the end of this period. In October 1939, the administration approved the establishment of the Canadian Officers' Training Corps, University of Ottawa Contingent, comprising a company, a headquarters and three platoons. The following year, this contingent became a battalion. Within another year, the unit numbered five hundred and fifty men. Its goal was to train officers with a university education for the non-permanent Canadian active militia. Students did not have to enlist in the army before finishing their studies, but as of 1940, those who were eighteen and older had to enrol in a training corps and undergo the required military training.

More than a thousand University of Ottawa graduates enlisted in the army during World War II. About fifty of them lost their lives in this war, which claimed the lives of some forty-two thousand Canadians. The student population supported the war effort by participating in the numerous blood donor clinics organized by the Red Cross. On campus, the most concrete sign of the war was the construction of temporary military barracks at the corner of King Edward Avenue and Somerset Street (now Marie Curie Street) to house the Canadian Women's Army Corps. These bare, hastily erected buildings eventually became the property of the University for the symbolic sum of one dollar. Judging by the way they looked, they were not worth more than that.

fin de leurs études mais, à partir de 1940, ceux qui ont dix-huit ans et plus doivent s'inscrire à un corps-école afin de suivre un entraînement militaire.

Plus de mille diplômés de l'Université d'Ottawa s'enrôlent dans l'armée pendant la Seconde Guerre mondiale. Une cinquantaine d'entre eux perdent la vie dans le conflit qui fait quelque quarante-deux mille victimes parmi les Canadiens. La population étudiante participe également à l'effort de guerre en donnant généreusement son sang lors des nombreuses collectes organisées par la Croix-Rouge. La construction de baraquements temporaires, à l'angle de l'avenue King Edward et de la rue Somerset (aujourd'hui rue Marie-Curie), pour loger le Corps féminin de l'armée canadienne, représente l'aspect le plus visible du conflit mondial sur le campus. Ces bâtiments ternes, construits à la hâte, deviennent par la suite la propriété de l'Université pour la somme symbolique d'un dollar.

Une expansion qui conduit à la restructuration (1945-1965)

Après la Seconde Guerre mondiale, la société canadienne connaît de profondes transformations. Le retour des combattants et la tendance des jeunes à poursuivre leurs études au-delà du diplôme secondaire font grimper les inscriptions dans toutes les universités canadiennes. L'Université d'Ottawa n'échappe pas à cette réalité, le nombre de ses étudiants universitaires à temps plein passant de mille en 1945 à cinq mille en 1965, avec une augmentation notable de la clientèle féminine, qui atteint vingt pour cent à la fin de cette période. Cette expansion phénoménale entraîne, au début des années 1960, une crise financière qui conduit l'établissement à une profonde restructuration en 1965.

L'École de médecine voit le jour en 1945, suivie l'année d'après de l'École des sciences appliquées et, en 1953, de la Faculté de droit avec, à ses débuts, une section de droit civil, à laquelle s'ajoute, en 1957, une section de common law. L'Institut d'éducation physique et l'École des gradués sont créés en 1949 et l'École des sciences domestiques en 1956. Tous ces programmes permettent de recruter de nouveaux

An expansion that led to reorganization (1945-1965)

After World War II, Canadian society underwent significant transformation. The return of soldiers from war and young people's interest in pursuing post-secondary studies led to an increase in enrolment in all Canadian universities. The same was true for the University of Ottawa as the number of full-time students increased from one thousand in 1945 to five thousand in 1965. The number of women students increased significantly, reaching twenty percent of the student population by the end of this period. This phenomenal expansion translated into a financial crisis at the beginning of the 1960s that led to an intense reorganization in 1965.

In 1945, the School of Medicine was established. The following year, the School of Applied Sciences was founded, and in 1953 the Faculty of Law, at first with only the Civil Law section. In 1957, its Common Law section was created. The Institute of Physical Education as well as the School of Graduate Studies opened in 1949, and the School of Home Economics was established in 1956. All these programs led to recruiting new professors, a certain number of which were women. Consequently, by 1959, the Oblates represented only fifteen percent of the University's teaching and administrative personnel.

In 1949, the administration abandoned the much-touted plan of moving to Orléans, in the suburbs of Ottawa, and the Oblates took on the challenge presented by the impressive increase in student enrolment. An ambitious development plan included the construction of several new buildings, which translated into expropriations and fundraising campaigns. In 1959, the University was granted expropriating powers in Sandy Hill by the provincial government. These powers, renewed in 1964, helped the University avoid any speculation on the land it sought for its expansion. In 1960, architect Jean-Serge Le Fort presented an ambitious development plan including twenty-two construction projects over a period of twenty years, at a staggering cost of thirty one and a half million dollars.

professeurs, y compris des femmes, si bien qu'en 1959 les oblats ne forment plus que quinze pour cent du personnel enseignant et administratif.

En 1949, l'administration abandonne le projet, longtemps envisagé, d'un déménagement à Orléans, en banlieue d'Ottawa. Les Oblats s'attaquent alors au défi que représente l'accroissement spectaculaire des inscriptions. Un ambitieux plan de développement prévoit la construction de plusieurs nouveaux bâtiments, mais sa réalisation suppose le recours à des expropriations et à des campagnes de financement. En 1959, l'Université obtient du gouvernement de l'Ontario des pouvoirs d'expropriation dans la Côte-de-Sable. Ce droit, renouvelé en 1964, se révèle providentiel puisqu'il interdit toute spéculation sur les terrains que convoite l'Université pour son expansion. L'architecte Jean-Serge Le Fort présente en 1960 un plan d'envergure, prévoyant vingt-deux projets de construction échelonnés sur vingt ans, au coût faramineux de trente et un millions et demi de dollars. Repoussant ses limites, le campus devrait devenir un vaste chantier bourdonnant d'activités. L'avenir semble très prometteur, mais la réalité financière se révélera tout autre.

En fait, le fardeau financier de l'expansion en cours depuis 1945 provoque une crise au début des années 1960. En moins de vingt ans, le budget d'exploitation fait un bond prodigieux, passant de six cent cinquante mille à plus de quatre millions de dollars. Bien que l'Université reçoive des subventions provinciales pour les sciences et la médecine, l'ampleur des besoins force la direction à admettre la nécessité d'une aide financière gouvernementale pour les autres programmes.

Devant cette difficile réalité, l'intégration au réseau ontarien des établissements d'enseignement postsecondaire apparaît comme inéluctable. Une règle de la politique ontarienne dresse cependant un obstacle majeur à cette intégration : les établissements postsecondaires doivent être non confessionnels. En 1963, après des mois de discussion avec ses confrères oblats et de consultation avec le personnel laïque, le recteur, le père Henri Légaré,

During this expansion, the campus would become a major construction site buzzing with activity. The future looked very promising, but the financial reality would prove to be very different.

In fact, the financial burden caused by the expansion since 1945 led to a crisis in the early 1960s. In less than twenty years, the University's operating budget increased from six hundred and fifty thousand dollars to more than four million dollars. Although the University was receiving provincial grants for science and medicine, the extent of its needs forced the administration to admit that it required government financial aid for its remaining programs. The situation became alarming and the institution was sinking deeper into debt year after year.

Faced with this difficult reality, the University's integration within Ontario's network of postsecondary institutions was inevitable. However, one provincial policy posed a major obstacle to this integration: a postsecondary institution had to be non-denominational. In 1963, after months of discussion with his Oblate brothers and consultation with the lay staff, the rector, Father Henri Légaré, proposed to remove exclusive authority over the University of Ottawa from the Oblate Fathers. The Oblate Fathers chose to establish an independent university for the faculties of Theology and Canon Law.

As soon as he became rector in 1964, Father Roger Guindon resumed negotiations. His perseverance and determination made it possible to reach an agreement between the Oblates and the Government of Ontario. In June 1965, Queen's Park adopted Bill 158, the *Act Respecting the University of Ottawa*. On July 1st that same year, the University of Ottawa became a corporation independent from any outside body, lay or religious. The ecclesiastic faculties, which were at the same time civil faculties, as well as the institutes of Pastoral Studies and Missiology, become the responsibility of Saint Paul University. The royal and pontifical charters were kept by Saint Paul University, which was federated with the University of Ottawa.

propose de retirer aux Oblats l'autorité exclusive sur l'Université d'Ottawa. Les pères envisagent, en outre, d'établir une université indépendante pour les facultés de théologie et de droit canonique.

Devenu recteur en 1964, le père Roger Guindon poursuit immédiatement les négociations en cours. Sa persévérance et sa détermination permettent aux Oblats et au gouvernement de l'Ontario d'en venir à un accord. En juin 1965, Queen's Park adopte le projet de loi 158, *Loi concernant l'Université d'Ottawa*. Le 1er juillet de la même année, l'Université d'Ottawa est constituée en corporation non assujettie aux restrictions ou au contrôle d'un organisme extérieur, laïque ou religieux. Les facultés ecclésiastiques, qui sont en même temps des facultés civiles, de même que les instituts d'études pastorales et de missiologie relèveront désormais de l'Université Saint-Paul. Cette dernière conserve la charte royale et la charte pontificale et est fédérée à l'Université d'Ottawa.

Sur le plan culturel, la période est marquée par l'essor du théâtre. Sous la direction de Léonard et Guy Beaulne, plusieurs pièces sont présentées dans les années 1940. Ce n'est toutefois qu'avec l'arrivée de Jean Herbiet, en 1958, que la Société dramatique prend vraiment son envol. Pendant dix ans, il signe la mise en scène d'une trentaine de pièces en tous genres, des comédies classiques de Molière au théâtre d'avant-garde d'Ionesco. Le théâtre anglais contribue également au dynamisme culturel du campus. En 1952, la Debating and Dramatic Society se scinde en deux. La Drama Guild ne s'imposera toutefois qu'après la restructuration de 1965.

Par ailleurs, la population étudiante s'affirme davantage. Ce changement d'attitude s'incarne parfaitement au sein de l'équipe de *La Rotonde* qui, au cours des années 1950, exige plus d'autonomie, ce qui provoque parfois des frictions. Ainsi, en 1956, aux assises de la Presse universitaire canadienne, une étude démontre que tous les journaux universitaires jouissent de la liberté de presse, à l'exception de trois, dont *La Rotonde* et *The Fulcrum* de l'Université d'Ottawa. Par surcroît, à cette même rencontre, *La Rotonde* est proclamée le journal le plus censuré au Canada, ce qui lui vaut les manchettes nationales.

From a cultural perspective, this period was marked by an increased theatrical presence. Under the direction of Léonard and Guy Beaulne, several plays were presented in the 1940s. It was only with the arrival of Jean Herbiet in 1958 that the *Société dramatique* truly flourished. For ten years, he directed some thirty plays of various genres, from Molière's classical comedies to Ionesco's avant-garde theatre. The English theatre also contributed to the cultural dynamism on campus. In 1952, the Debating and Dramatic Society split into two separate associations. The Drama Guild would not, however, emerge until after the university's reorganization in 1965.

The student population was making its presence felt, and this change in attitude was faithfully reflected by the editorial board of *La Rotonde*. During the 1950s, *La Rotonde* called for more autonomy, sometimes leading to friction. In 1956, during the Canadian University Press conference, a study presented revealed that all university publications enjoyed freedom of the press except three, including University of Ottawa's *La Rotonde* and *The Fulcrum*. More importantly, at this same meeting, *La Rotonde* was declared the most censored newspaper in Canada, news that made national headlines.

This report prompted the editor of *La Rotonde*, Gaspard Côté, to demand the freedom of expression necessary in journalism: "If a higher principle required censorship, how do we explain the fact that most universities, even Catholic ones, have abandoned this practice?" The request was not heard, and the University banned the publishing of the Francophone newspaper several times, thus further increasing the tension between the administration and the Student Federation. In 1958, in a special issue for the newspaper's 25th anniversary, Jean David and Normand Lacharité criticized the lack of freedom of the press and certain positions of the administration, accusing University authorities of paternalism. These allegations seriously upset the institution's leaders, who refused to attend the anniversary banquet. Over the summer, when everyone thought the incident had passed, the University's administration announced that David and Lacharité would not be re-admitted to the University.

La publication de ce rapport incite le directeur de *La Rotonde*, Gaspard Côté, à revendiquer cette liberté d'expression nécessaire au journalisme : « Si un principe supérieur exigeait la censure, comment expliquer le fait que la plupart des universités, même catholiques, ont abandonné cette pratique ? » Sa requête n'est pas entendue et, à quelques reprises, l'Université interdit la publication du journal. En 1958, lors du vingt-cinquième anniversaire du journal, Jean David et Normand Lacharité dénoncent dans un cahier spécial l'absence de liberté de presse, critiquent certaines positions de la direction et l'accusent de paternalisme. Ces propos indisposent fortement les dirigeants de l'établissement qui s'abstiennent de participer au banquet d'anniversaire. Au cours de l'été, alors que tous croient l'incident clos, l'administration annonce que messieurs David et Lacharité ne sont pas réadmis à l'Université.

À l'automne, Normand Lacharité, devenu étudiant à l'Université Laval, soumet à la Fédération des étudiants un rapport sur les suites de la parution du cahier anniversaire. *La Rotonde* s'empresse de publier ce document. Les autorités universitaires annoncent aussitôt que les trois membres de la direction du journal sont démis de leurs fonctions. Le journal cesse même de paraître en octobre 1958. Le milieu étudiant du pays y voit une atteinte à la liberté d'expression et au droit d'association des étudiants. La Fédération des étudiants de l'Université d'Ottawa demande formellement à l'administration de revenir sur sa décision, mais essuie un refus catégorique. La Fédération n'a guère le choix que de se soumettre, mais son président, Marcel Prud'homme, démissionne. Ces événements viennent confirmer la mainmise de la direction universitaire sur la Fédération des étudiants. La crise prend fin et *La Rotonde* recommence à paraître au début de 1959.

Malgré les déboires du journal francophone, les relations entre les associations étudiantes et l'administration universitaire sont loin d'être toujours aussi tendues à l'époque. Cela dit, ce genre de crise est l'écho d'une société en pleine ébullition et annonce l'effervescence de la Révolution tranquille qui pointe à l'horizon. Les grands changements sont encore à venir.

In the fall, Normand Lacharité, who was now studying at Laval University, submitted a report to the Student Federation on what had happened since the publishing of the 25th anniversary issue. *La Rotonde* published the integral document. Consequently, University authorities announced that the three members of the newspaper's management were fired, and *La Rotonde* stopped publishing as of October 1958. Students across the country saw this as an infringement on freedom of expression and the rights of a student association. The University of Ottawa Student Federation formally requested that the administration review its decision, but this request was categorically refused. The Federation had no other option but to comply; however, its president, Marcel Prud'homme, resigned. These events clearly confirmed the University administration's authority over the Student Federation. The crisis eventually ended, and *La Rotonde* resumed publishing at the beginning of 1959.

Despite all that had happened with *La Rotonde*, the relations between the student associations and the University's administration were not always as tense as they were during this period. That being said, this type of crisis indicated that society was changing and that the Quiet Revolution was starting to take root. The main changes were on their way.

La première collation des grades à l'Université d'Ottawa en 1890.
The first convocation ceremony at the University of Ottawa in 1890.
AUO-PHO-NB-38A-3-92

La fanfare de l'Université d'Ottawa en 1898.
The University of Ottawa brass band in 1898.
AUO-PHO-NB-38A-1-31

La bibliothèque vers 1889.
The library around 1889.
AUO-PHO-NB-38A-HF-109-11

La chapelle, œuvre du chanoine Georges Bouillon, vers 1889.
The chapel, designed by Canon Georges Bouillon, around 1889.
AUO-PHO-NB-38A-1-107

Le musée de l'édifice des sciences vers 1901.
The museum in the science building around 1901.
AUO-PHO-NB-38A-1-114

Le grand feu du 2 décembre 1903.
The fire of December 2, 1903.
AUO-PHO-NB-38A-1-78

Les ruines du bâtiment principal après le grand feu de 1903.
The ruins of the main building after the 1903 fire.
AUO-PHO-NB-38A-2-310

Traction de l'une des grandes colonnes de la façade du pavillon Tabaret lors de la construction en 1904.
One of the main columns for Tabaret Hall's facade is transported during the 1904 construction.
AUO-PHO-NB-38A-2-354

L'édifice des sciences, aujourd'hui la Salle académique, au début du XXe siècle.
The science building, now known as the Academic Hall, at the beginning of the 20th century.
AUO-PHO-NB-38A-2-299

▶

Le dortoir dans le « poulailler » après le grand feu de 1903.
The dormitory in the "henhouse" after the 1903 fire.
AUO-PHO-NB-38A-2-289

Les membres de l'English Debating Society en 1907-1908.
Members of the English Debating Society in 1907-1908.
AUO-PHO-38A-4-45

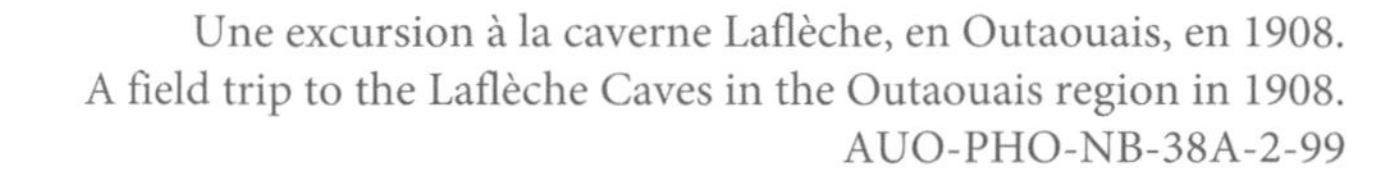
Une excursion à la caverne Laflèche, en Outaouais, en 1908.
A field trip to the Laflèche Caves in the Outaouais region in 1908.
AUO-PHO-NB-38A-2-99

Cours de dactylographie dans le « poulailler », entre 1905 et 1922.
Students learning to type in the "henhouse" between 1905 and 1922.
AUO-77-Annuaire-1909-1910-p. 65

Une excursion de géologie à la chute Rideau, à Ottawa, en 1912.
A geology field trip to the Rideau Falls in Ottawa in 1912.
AUO-PHO-NB-38A-4-46

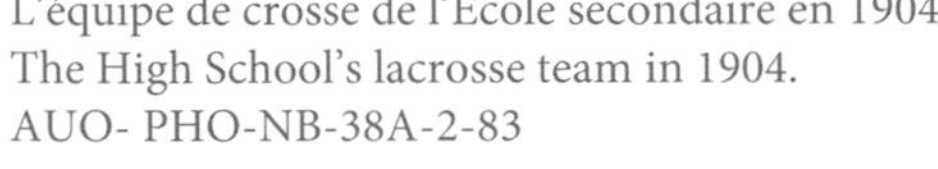

L'équipe de crosse de l'École secondaire en 1904.
The High School's lacrosse team in 1904.
AUO- PHO-NB-38A-2-83

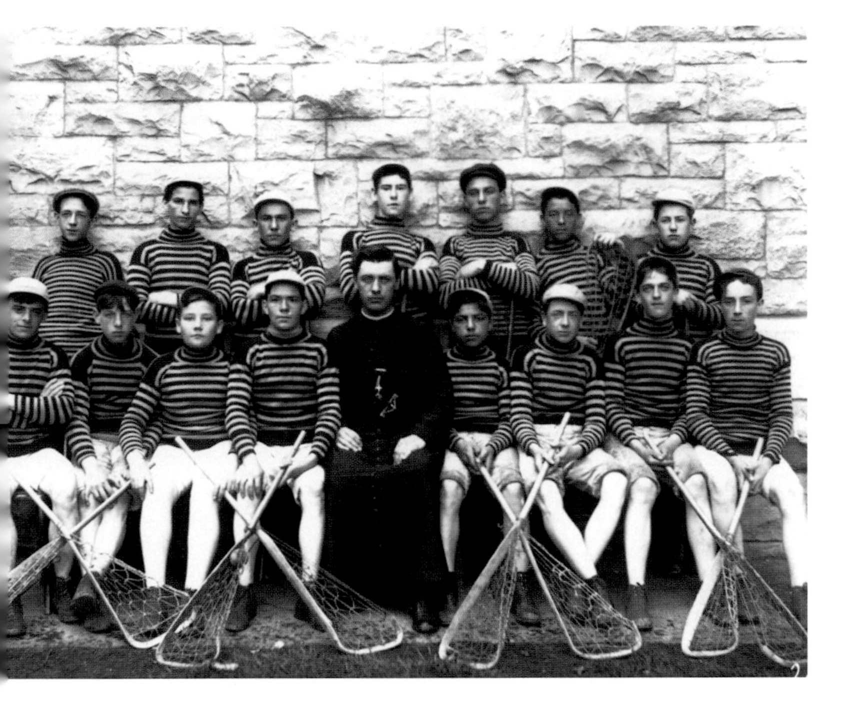

L'équipe de ballon-panier de l'École secondaire en 1931.
The High School's basketball team in 1931.
AUO-PHO-38A-2-488

L'équipe de football de l'École secondaire en 1931.
The High School's football team in 1931.
AUO-PHO-NB-38A-2-560

L'équipe de hockey, avec le père Legault, au début du XXe siècle.
The hockey team with Father Legault at the beginning of the 20th century.
AUO-PHO-NB-38A-1-10

La patinoire devant l'édifice des sciences en 1912.
The skating rink in front of the science building in 1912.
AUO- PHO-NB-38A-4-60

Une pièce de théâtre dans les années 1920.
A play performed in the 1920s.
AUO-PHO-NB-38-2579
▶

L'équipe de baseball en 1912-1913, devant les gradins de l'Ovale de l'Université, rue Somerset (aujourd'hui rue Marie-Curie).
The baseball team in 1912-1913, in front of the bleachers of the University's Oval, Somerset Street (now Marie Curie Street).
AUO-77-Annuaire 1913-1914-p. 61

Une excursion de géologie en 1908.
A geology field trip in 1908.
AUO-PHO-NB-38A-2-211

Le réfectoire au pavillon principal en 1940.
The dining hall in the main building in 1940.
AUO-PHO-NB-38AH-5-51

Des étudiants dans un laboratoire de chimie au début du XXe siècle.
Students in a chemistry laboratory at the beginning of the 20th century.
AUO-PHO-NB-38A-2-210

Des étudiants à l'œuvre dans une classe d'affaires en 1948.
Students during a business class in 1948.
AUO-PHO-NB-6-38/Malak-1170-182-56

L'équipe du club d'aviron en 1950.
The Rowing Club team in 1950.
AUO-PHO-NB-38-2500

Une classe d'étudiantes de l'École d'infirmières en 1949.
A class of students at the School of Nursing in 1949.
AUO- PHO-NB-73-156
▶

Un groupe du Corps-école des officiers de l'Université d'Ottawa créé en 1939.
Members of the University of Ottawa Officers' Training Corps, created in 1939.
AUO-PHO-NB-100-33

Une classe de l'École des sciences domestiques à l'œuvre en 1960.
Students during a class at the Home Economics School in 1960.
AUO-PHO-NB-11-15

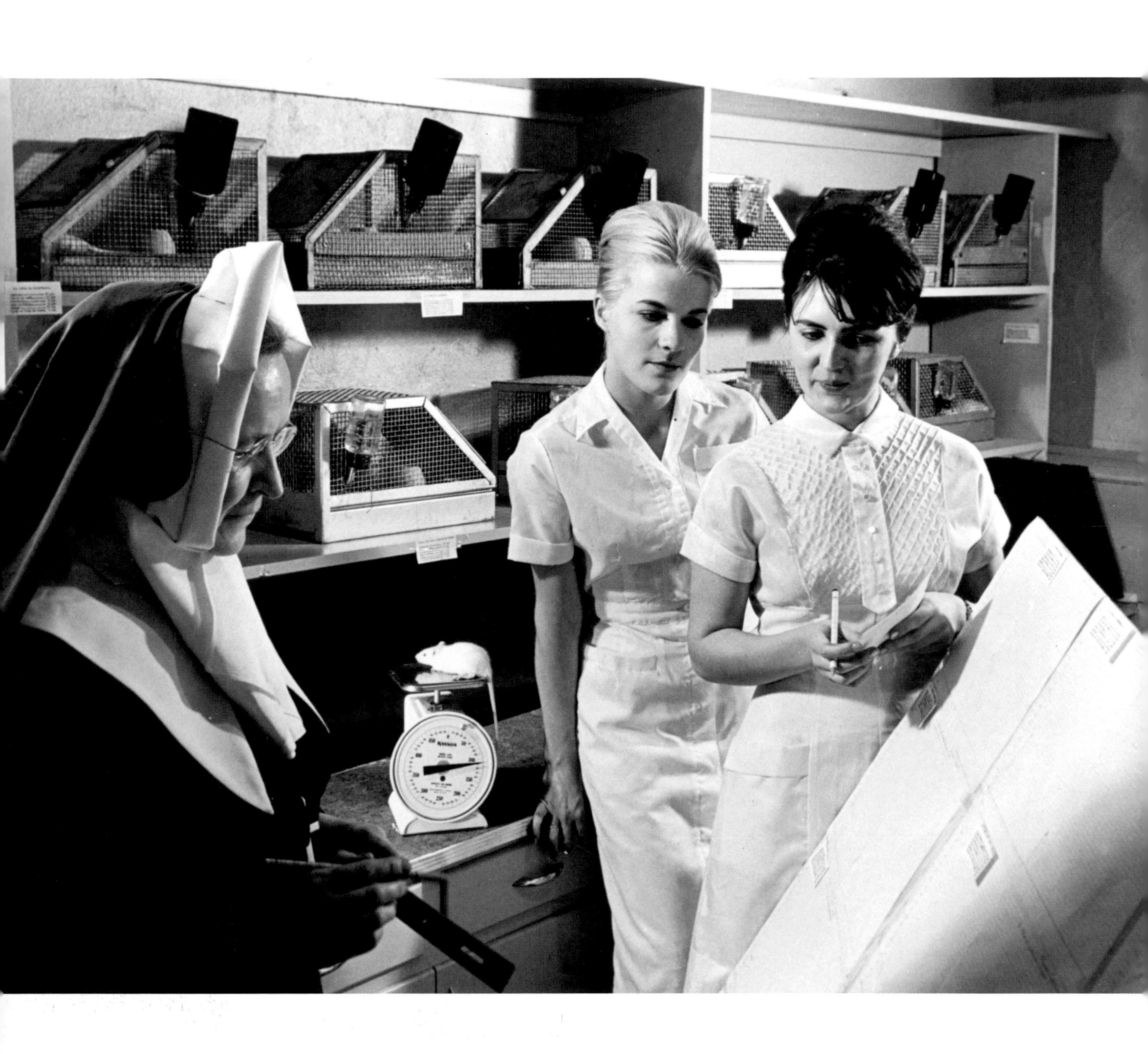

Sœur Solange et deux étudiantes en sciences domestiques en 1960.
Sister Solange and two Home Economics students in 1960.
AUO-PHO-NB-6-58/Malak-10942

Les baraquements situés à l'angle de l'avenue King Edward et de la rue Somerset en 1957.
The barracks at the corner of King Edward Avenue and Somerset Street in 1957.
AUO-PHO-NB-32-8

Le premier ordinateur de l'Université, un IBM 650, en 1958.
The University's first computer, an IBM 650, in 1958.
AUO-PHO-NB-32-11/George Ben

Un cours dans les premières années de l'École de médecine, après la Seconde Guerre mondiale.
A first year course at the School of Medicine, after World War II.
AUO-PHO-NB-43-39/TVA Little
▶

Lors d'une initiation à la Faculté des arts vers 1950, des étudiants doivent polir une plaque avec des brosses à dents.
As part of an initiation ceremony at the Faculty of Arts around 1950, students had to polish a plaque using toothbrushes.
AUO-PHO-NB-38-2502

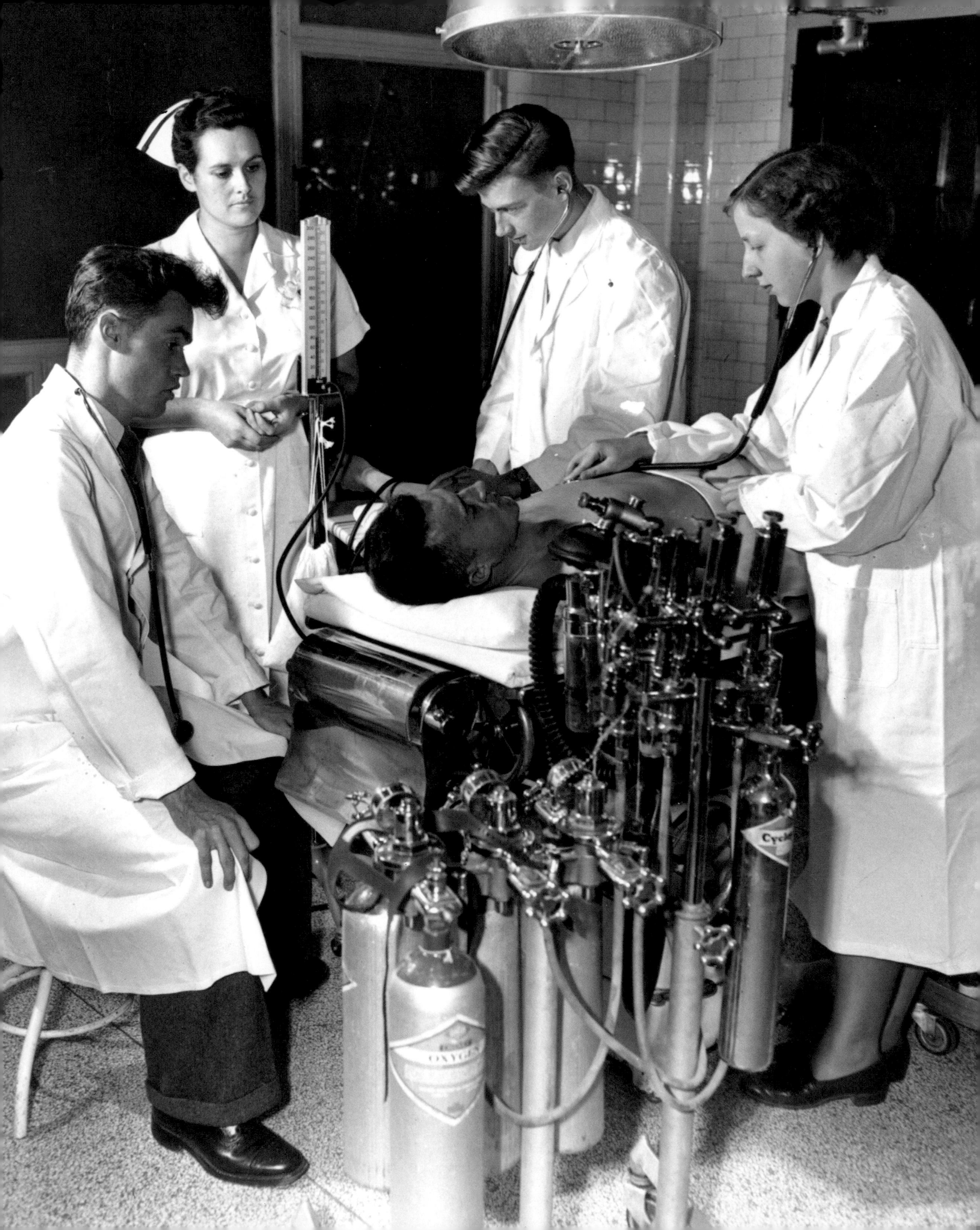
OXYGEN

Le patrimoine bâti		Built Heritage
Maisons patrimoniales	**1875-1885**	Heritage houses
100 Laurier (Juniorat du Sacré-Cœur – acquis en 1970)	**1893**	100 Laurier (Juniorat du Sacré-Cœur – acquired in 1970)
Salle académique	**1901**	Academic Hall
Pavillon Tabaret	**1905**	Tabaret Hall
Pavillon Hagen	**1931**	Hagen Hall
1 Stewart	**1948**	1 Stewart
Pavillon Vanier	**1954**	Vanier Hall
Pavillon Simard	**1956**	Simard Hall
Pavillon Marion	**1958**	Marion Hall
Pavillon Gendron	**1960**	Gendron Hall
200 Lees (acquis en 2007)	**1963**	200 Lees (acquired in 2007)
Résidence Marchand	**1965**	Marchand Residence
Résidence Le Blanc	**1965**	Le Blanc Residence
Pavillon MacDonald	**1965**	MacDonald Hall
Pavillon Colonel-By	**1970**	Colonel By Hall
Résidence Stanton	**1970**	Stanton Residence
Bibliothèque Morisset	**1972**	Morisset Library
Résidence Thompson	**1972**	Thompson Residence
Pavillon Montpetit	**1972**	Montpetit Hall
Centrale thermique	**1972**	Power Plant
Centre universitaire Jock-Turcot	**1973**	Jock Turcot University Centre
Pavillon Fauteux	**1973**	Fauteux Hall
Pavillon Lamoureux	**1978**	Lamoureux Hall

Pavillon	Année / Year	Building
Pavillon Roger-Guindon	**1981**	Roger Guindon Hall
139-141 Louis-Pasteur	**1984**	139-141 Louis Pasteur
Résidence Brooks	**1987**	Brooks Residence
Pavillon Pérez	**1988**	Pérez Hall
100 Marie-Curie	**1990**	100 Marie Curie
Pavillon D'lorio	**1993**	D'lorio Hall
Pavillon des Arts	**1996**	Arts Building
600 Peter-Morand (acquis en 2007)	**1996**	600 Peter Morand (acquired in 2007)
Complexe résidentiel (nouvelle résidence)	**2001**	Residential Complex (New Residence)
Complexe sportif	**2001**	Sports Complex
École d'ingénierie et de technologie de l'information	**2002**	School of Information Technology and Engineering
Complexe des biosciences	**2003**	Biosciences Complex
Résidence Hyman-Soloway	**2004**	Hyman Soloway Residence
850 Peter-Morand (acquis en 2007)	**2006**	850 Peter Morand (acquired in 2007)
Pavillon Desmarais	**2007**	Desmarais Hall

La plupart des maisons et des petits bâtiments en brique situés sur les avenues King Edward et Laurier, ainsi que le long des rues Cumberland, Séraphin-Marion et Stewart étaient auparavant des résidences privées. Pour bien marquer leur appartenance à l'Université, ces bâtiments étaient jadis peints en gris immédiatement après leur achat. La plupart de ces maisons grises ont été construites entre 1900 et 1926.

Most houses and small brick buildings on King Edward and Laurier avenues as well as on Cumberland, Séraphin Marion and Stewart streets were previously private residences. When these buildings were purchased by the University of Ottawa, they were painted grey to identify them as belonging to the institution. Most of these grey houses were built between 1900 and 1926.

L'Université d'Ottawa (1965-1998)

The University of Ottawa (1965-1998)

Recteurs de l'Université d'Ottawa

1965-1984	Roger Guindon, o.m.i.
1984-1990	Antoine D'Iorio
1990-2001	Marcel Hamelin
2001-2008	Gilles G. Patry
2008-	Allan Rock

Presidents[1] of the University of Ottawa

1965-1984	Roger Guindon, OMI
1984-1990	Antoine D'Iorio
1990-2001	Marcel Hamelin
2001-2008	Gilles G. Patry
2008-	Allan Rock

[1] In English, the title "rector," used since 1889, was replaced with "president" in 2004.

La restructuration de 1965 a un impact marquant sur le développement de l'Université d'Ottawa. Désormais, l'administration des affaires et des biens de l'établissement relève du Bureau des gouverneurs, tandis que le Sénat prend en main les dossiers touchant à l'enseignement. Un comité mixte, formé de membres du Bureau des gouverneurs et du Sénat, s'occupe des questions d'intérêt commun. En outre, le poste de recteur n'est plus réservé à un oblat. Cela n'empêche pas le père Roger Guindon de se voir confirmer dans son poste, mandat après mandat, jusqu'en 1984. Le premier recteur laïque est Antoine D'Iorio, scientifique reconnu et vice-recteur à l'enseignement et à la recherche – l'Université lui rendra hommage en nommant l'un des pavillons des sciences en son honneur.

Dans la même veine, le poste de chancelier, c'est-à-dire le chef titulaire de l'Université qui occupe une place d'honneur à la collation des grades et à d'autres cérémonies importantes, est maintenant ouvert à tous, au lieu d'être confié à l'archevêque d'Ottawa, comme cela était le cas depuis 1889. Madame Pauline Vanier, épouse du gouverneur général Georges Vanier, devient en 1966 le premier chancelier laïque et la première femme titulaire de ce poste. Depuis, cinq chanceliers lui ont succédé : Gérald Fauteux, ancien juge en chef de la Cour suprême du Canada et premier président du Bureau des gouverneurs de l'Université; Gabrielle Léger, épouse du gouverneur général Jules Léger; Maurice Sauvé, époux du gouverneur général Jeanne Sauvé, elle-même diplômée de l'établissement; Gordon Henderson, important mécène et ami de l'institution; et, enfin, Huguette Labelle, éminente Franco-Ontarienne et ancienne de l'Université, titulaire de nombreux postes prestigieux dans la fonction publique fédérale et sur la scène internationale.

Après 1965, le corps professoral et le personnel de soutien connaissent une expansion rapide. Ainsi, le nombre de professeurs à temps plein passe de trois cents en 1965 à mille dans les années 1990. Fait à noter, à partir des années 1970, l'administration se préoccupe d'engager un plus grand nombre de femmes. Elles représentent un peu plus du quart du personnel enseignant en 1998 et le tiers en 2007. Par

The 1965 reorganization had a significant impact on the development of the University of Ottawa. Under the new structure, the institution's overall governance and management was the responsibility of the Board of Governors, while the Senate oversaw academic issues. A joint committee comprising members of both the Board and the Senate was also established to address issues of common interest. In addition, the position of rector was no longer reserved for an Oblate; however, Father Roger Guindon continued to serve as rector for several terms until 1984. The first lay rector was Antoine D'Iorio, a distinguished scientist and former vice-rector academic. The University recognized his contribution by naming one of the science buildings in his honour.

Similarly, the position of chancellor, the titular head of the University who has a place of honour at Convocation and other important ceremonies, was now open to anyone and no longer reserved for the Archbishop of Ottawa, as had been the case since 1889. Thus, in 1966, Pauline Vanier, wife of Governor General Georges Vanier, became the first lay chancellor and the first woman to hold the position. Since then, five others have served as chancellor: Gérald Fauteux, former chief justice at the Supreme Court of Canada and the first chair of the University's Board of Governors; Gabrielle Léger, wife of Governor General Jules Léger; Maurice Sauvé, husband of Governor General Jeanne Sauvé, a graduate of the University; Gordon Henderson, renowned philanthropist and friend of the University; and, finally, Huguette Labelle, a distinguished Franco-Ontarian and alumna of the University, who has held several senior positions in the federal government and on the international scene.

After 1965, the number of faculty and support staff increased rapidly. For example, the number of full-time professors rose from three hundred in 1965 to one thousand in the 1990s. Furthermore, during the 1970s, the administration started to hire more women. By 1998, women represented slightly over a quarter of the teaching staff and about one-third in 2007. Although the professors' representatives had been negotiating with the administration since

ailleurs, bien qu'une association professionnelle négocie avec l'administration depuis 1956, il faut attendre 1975 avant que l'Association des professeurs de l'Université d'Ottawa (APUO) se transforme en unité syndicale.

Au cours de cette période, le personnel de soutien passe de quatre cents en 1965 à environ mille cinq cents en 1998. En 1965, le Bureau des gouverneurs met sur pied un Comité du personnel et du bien-être, remplacé en 1970 par le Comité du personnel de soutien, lequel devient un comité consultatif permanent du Bureau des gouverneurs en 1974, avant de se transformer en Comité exécutif du personnel de soutien en 1989. Ce groupe sert d'instrument de communication et de consultation entre le personnel de soutien et la direction. Il joue un rôle particulièrement actif lors du « contrat social » imposé par le gouvernement ontarien au milieu des années 1990. En 2007, le personnel de soutien entre dans un processus de syndicalisation.

La structure organisationnelle

Entre 1965 et 1970, l'effectif étudiant à temps plein et à temps partiel passe de onze mille à dix-sept mille, soit une augmentation de plus de cinquante pour cent. Cette croissance oblige l'Université à adapter ses structures organisationnelles pour répondre aux besoins grandissants. C'est ainsi qu'en 1967 l'Institut de psychologie et d'éducation se scinde pour former respectivement la Faculté de psychologie et la Faculté d'éducation. Cette dernière incorpore l'École normale de l'Université d'Ottawa en 1969 et, cinq ans plus tard, l'Ottawa Teachers' College, qui formait les enseignants anglophones de la province. Toujours en 1967, on crée le Centre de coopération internationale et, dans le but de réorganiser les études des deuxième et troisième cycles, l'École des études supérieures. Dans les années subséquentes naissent l'Institut de langues vivantes et la Faculté des sciences de la gestion.

En 1972, cette rapide évolution amène le Sénat à mettre sur pied la Commission de révision des structures d'enseignement et de recherche, présidée

1956, it was only in 1975 that the Association of Professors of the University of Ottawa (APUO) officially unionized.

As for support staff, their numbers leapt from four hundred in 1965 to about fifteen hundred in 1998. In 1965, the Board of Governors established a Committee on Personnel Policy and Welfare that was replaced in 1970 by the Support Staff Committee. In 1974, it became a standing advisory committee of the Board of Governors and, in 1989, changed its name to the Support Staff Executive Committee. It became the staff's communications and consultative body with the administration, and played a particularly active role during the "Social Contract" imposed by the Ontario government in the mid-1990s. In 2007, a support staff unionization process was launched.

The organizational structure

Between 1965 and 1970, the number of full-time and part-time students rose from eleven thousand to seventeen thousand, an increase of more than fifty percent. In order to meet the increasing needs, the University had to adjust its organizational structure. Therefore, in 1967, the Institute of Psychology and Education divided into the Faculty of Psychology and the Faculty of Education. The latter also incorporated the University of Ottawa Normal School in 1969 and, five years later, the Ottawa Teachers' College, which trained Anglophone teachers for the province. Also in 1967, the administration reorganized graduate studies by establishing the School of Graduate Studies. The Centre for International Cooperation also opened at that time, and over the next few years both the Centre for Second-Language Learning and the Faculty of Management Science were established.

In 1972, this spectacular evolution led the Senate to create a Commission on the Revision of Teaching and Research Structures, chaired by Denis Carrier, dean of the Faculty of Social Sciences. Containing some three hundred recommendations, the committee's report, submitted in 1975 and titled *Strategy for*

par Denis Carrier, doyen de la Faculté des sciences sociales. Avec ses quelque trois cents recommandations, le rapport de la Commission, déposé en 1975 sous le titre *Stratégie pour le changement*, va remodeler le visage de l'Université d'Ottawa. Par exemple, la Faculté des sciences sociales connaît une métamorphose en 1977, alors que les facultés de philosophie et de psychologie sont transformées l'année suivante respectivement en département et en école. Pour leur part, les écoles de médecine, des sciences infirmières et des sciences de l'activité physique forment désormais la nouvelle Faculté des sciences de la santé.

Dans les années 1980, la Faculté des sciences et du génie se scinde en deux facultés autonomes, tandis que l'École de médecine recouvre le statut de faculté. Dans le secteur de la santé, l'Institut de cardiologie de l'Université d'Ottawa à l'Hôpital Civic est inauguré en 1983. Trois ans plus tard, ce nouvel institut se distingue en pratiquant la première transplantation d'un cœur artificiel au Canada. Le docteur Wilbert Keon, un des plus éminents cardiologues au pays, dirige l'équipe qui implante le cœur Jarvik à Noëlla Leclair, âgée de quarante et un ans. Une semaine plus tard, elle reçoit un cœur humain. Madame Leclair, devenue par la suite championne des dons d'organes, survivra vingt ans à cette opération spectaculaire.

Le sous-financement général des universités ontariennes dans les années 1990 impose une révision des programmes et de la structure universitaire pour faire face à de lourdes contraintes budgétaires. La direction n'en lance pas moins de nouvelles initiatives, entre autres la création de l'École de service social, de l'École des sciences de la réadaptation, de l'École d'ingénierie et de technologie de l'information, de l'Institut d'études canadiennes et de l'Institut d'études des femmes.

Entre-temps, l'effectif étudiant continue à augmenter, mais plus progressivement, pour atteindre vingt-cinq mille en 1998. De même, le nombre de diplômés ne cesse de s'accroître et franchit le cap des cent mille en 1996. Bref, l'Université poursuit son adaptation aux réalités changeantes.

Change, reshaped the entire institution. For example, the Faculty of Social Sciences was reorganized in 1977, while the faculties of Philosophy and Psychology were transformed the following year into a department and a school, respectively. The schools of Medicine, Nursing and Physical Education joined to form the new Faculty of Health Sciences.

In the 1980s, the Faculty of Science and Engineering divided into two faculties, and the School of Medicine reacquired faculty status. In the health field, the University of Ottawa Heart Institute at the Civic Hospital opened in 1983. Three years later, the Institute established itself as a leader in the field when it performed the first artificial-heart transplant in Canada. Doctor Wilbert Keon, one of the most prominent heart specialists in the country, led the team that implanted the Jarvik heart in forty-one-year-old Noëlla Leclair, who received a human heart a week later. Mrs. Leclair saw her life extended twenty years by the surgery and became a spokesperson for organ donation.

Given the overall under-funding of Ontario universities during the 1990s, the University had to reform both its programs and structure so it could cope with the serious budget constraints. In the process, the administration continued nonetheless to launch new initiatives, such as establishing the School of Social Service, the School of Rehabilitation Sciences, the School of Information Technology and Engineering, the Institute of Canadian Studies and the Institute of Women's Studies.

Meanwhile, the number of students continued to increase, but more gradually, reaching twenty-five thousand by 1998. The number of graduates also grew, topping the one hundred thousand mark in 1996. Overall, the institution was adapting to a changing reality.

A revitalized campus

In 1965, with financial aid from the provincial government, the administration launched a series of campus development projects, investing

Un campus en construction

À compter de 1965, l'administration se lance, avec l'aide financière du gouvernement provincial, dans le développement physique du campus. Quelque cinquante millions de dollars y sont investis en dix ans. De 1965 à 1968, se construisent un certain nombre d'immeubles, dont la première résidence pour étudiantes (Le Blanc) et le pavillon de physique (MacDonald). En 1967, année du centenaire de la Confédération canadienne, le grand stationnement face au pavillon Tabaret est transformé en parc. Cet îlot de verdure met ainsi en relief le pavillon central, symbole architectural de l'établissement.

En 1968, l'Université adopte un ambitieux plan directeur évalué à cent millions de dollars, au cœur duquel se trouvent un centre universitaire, une bibliothèque, un complexe sportif, ainsi que des édifices pour le génie, le Centre d'étude de l'enfant et les sciences de la santé. En fait, le début des années 1970 est fertile. L'administration achète l'ancien Juniorat du Sacré-Cœur, construit en 1893. Une nouvelle résidence (Thompson) accueille la clientèle étudiante. Les bibliothèques des humanités et des sciences sociales sont regroupées au pavillon Morisset – nommé en l'honneur du père Auguste Morisset, fondateur de l'École de bibliothécaires et directeur des bibliothèques de l'Université. Le père Médéric Montpetit, fondateur de l'Institut d'éducation physique, assiste pour sa part à l'inauguration du complexe sportif qui porte son nom. La Centrale thermique entre en service. Le pavillon Fauteux, qui abrite la Faculté de droit et les Archives de l'Université, est inauguré – Gérald Fauteux est le premier doyen de la nouvelle Faculté de droit.

L'ouverture du Centre universitaire Jock-Turcot marque une autre étape importante. Ce complexe se veut le point de rencontre de la communauté étudiante. Une partie de son financement provient du Fonds Jock-Turcot, constitué à la mémoire du président de la Fédération des étudiants de l'Université d'Ottawa, James (Jock) Turcot, décédé à l'âge de vingt-deux ans dans un accident d'automobile, la nuit de Noël 1965. Très engagé, le jeune président

approximately fifty million dollars over a ten-year period. From 1965 to 1968, several buildings were built, including the first student residence (Le Blanc) and the physics building (MacDonald). For Canada's centennial in 1967, the large parking lot in front of Tabaret Hall was transformed into a park. The green expanse made a focal point of the central building, the institution's architectural symbol.

In 1968, the administration adopted an ambitious master plan estimated at one hundred million dollars. The design included a university centre, a library, a sports complex, as well as buildings for engineering, health sciences and the Child Study Centre. In fact, the early 1970s proved especially productive. The administration bought the former *Juniorat du Sacré-Coeur* built in 1893. A new student residence was built (Thompson). The humanities and social sciences libraries joined under one roof in Morisset Hall – the building bears the name of Father Auguste Morisset, founder of the Library School and director of the University's libraries. Father Médéric Montpetit, founder of the Institute of Physical Education, attended the opening of the sports complex that bears his name today. The Power Plant began operating, and Fauteux Hall, home to both the Faculty of Law and the University Archives, opened – Gérald Fauteux served as first dean of the new Faculty of Law.

Another important achievement was the opening of the Jock Turcot University Centre, designed as a meeting place for the University community. Part of the money for this project was provided by the Jock Turcot Fund, started in memory of James (Jock) Turcot, a former president of the Student Federation, who died at the age of twenty-two in a car accident on Christmas Eve 1965. Before his tragic death, the young president had campaigned energetically for a social centre where students could meet and enjoy the University's many services.

Because of budget cuts, it was only in 1978 that the Faculty of Education moved to Lamoureux Hall, a building named in honour of Father René

s'était battu pour un centre social où la population étudiante pourrait se réunir et profiter des nombreux services universitaires.

En raison de compressions budgétaires, ce n'est qu'en 1978 que la Faculté d'éducation emménage au pavillon Lamoureux – grand éducateur, le père René Lamoureux est le fondateur de l'École normale de l'Université d'Ottawa. Ce bâtiment complète le complexe universitaire qui, en une décennie, transforme la physionomie du campus. Malgré toutes ces constructions, le plan directeur de 1968 demeure encore inachevé, la construction d'un complexe des sciences de la santé restant à l'état de projet. Le rêve ne deviendra réalité qu'au début des années 1980, avec l'inauguration du pavillon Roger-Guindon dans le quartier Alta Vista. Ainsi l'Université d'Ottawa rend non seulement hommage à son recteur de longue date, mais aussi à l'ardent défenseur du projet.

En 1985, le Bureau des gouverneurs adopte un nouveau plan de développement évalué à cent cinquante millions de dollars ; il comprend la construction de résidences étudiantes (Brooks), ainsi que les pavillons de musique (Pérez), des sciences (D'Iorio) et des arts (Arts).

En 1987, la Ville d'Ottawa vend à l'Université les rues intérieures du campus. Afin de souligner la contribution de personnalités d'exception, de nouveaux noms leur sont donnés. Par exemple, la rue Wilbrod devient la rue Séraphin-Marion, en mémoire d'un ancien étudiant et professeur devenu une figure marquante de l'Ontario français. Tout comme Thomas Foran, premier diplômé au XIXe siècle, Séraphin Marion entretient toute sa vie des liens privilégiés avec l'établissement de la Côte-de-Sable. Entré à l'École secondaire de l'Université d'Ottawa en 1910, à l'âge de quatorze ans, il deviendra plus tard professeur émérite de l'Université. En 1926, Séraphin Marion est le premier à enseigner la littérature du Canada français et il demeure pendant plusieurs décennies l'âme des cours de littérature française et canadienne-française de l'institution.

Lamoureux, a prominent educator and the founder of the University of Ottawa Normal School. The University's facilities blitz was now finished and it had transformed the campus from a decade earlier. Still, despite all the construction, the 1968 master plan remained uncompleted because the health sciences complex had not yet been built. That dream became a reality at the beginning of the 1980s when the Roger Guindon Hall opened in the Alta Vista area. The complex was named in honour of the University's long-time rector and one of the project's staunchest supporters.

In 1985, the Board of Governors adopted a new development plan evaluated at one hundred and fifty million dollars that included student residences (Brooks) and buildings for music (Pérez), science (D'Iorio) and arts (Arts).

In 1987, the University purchased City of Ottawa streets that were part of the campus and renamed them to honour the contributions of outstanding individuals. For instance, Wilbrod Street became Séraphin Marion, in honour of a University alumnus and professor who became a prominent figure in French Ontario. Just like Thomas Foran, the University's first graduate, Séraphin Marion maintained strong ties with his *alma mater* throughout his life. He entered the University of Ottawa High School in 1910 at the age of fourteen and eventually became an emeritus professor at the University. In 1926, Séraphin Marion was the first to teach French-Canadian literature and, for several decades, was a central figure in the creation of French and French-Canadian literature courses at the institution.

In 1992, rector Marcel Hamelin thoroughly revised the master plan to make the campus more attractive and safer. The plan also focused on harmonizing the architecture and heritage value of older buildings with newer building styles. In addition, green spaces and pedestrian paths were top priorities, giving the campus a warmer look. The transformation meshed with the University of Ottawa's concern for the environment, a key issue at the end of the 20th century.

En 1992, le recteur Marcel Hamelin révise en profondeur le plan directeur afin d'embellir le campus et d'améliorer la sécurité. Le plan prévoit aussi l'harmonisation de l'architecture des anciens bâtiments, d'une grande valeur patrimoniale, avec les nouveaux édifices. L'aménagement d'espaces verts et de sentiers piétonniers constitue par ailleurs l'une des priorités et permet de donner un caractère plus chaleureux au campus. L'Université d'Ottawa se préoccupe de l'environnement, qui représente l'un des enjeux majeurs de cette fin de siècle.

La vie étudiante

Après 1965, les associations étudiantes, regroupées au sein de la Fédération étudiante de l'Université d'Ottawa, obtiennent la pleine autonomie qu'elles réclamaient depuis longtemps. Les journaux étudiants, *La Rotonde* et *The Fulcrum*, se veulent le reflet de la population étudiante et s'intéressent à toutes les questions de l'heure. Par exemple, à la fin des années 1960, les deux journaux luttent pour une participation étudiante au gouvernement universitaire et donnent leur appui aux manifestations qui aboutissent, en 1968, à l'occupation des locaux de la Faculté des sciences sociales. Les étudiants revendiquent notamment une représentation paritaire aux conseils facultaires et départementaux. Après quelques jours d'occupation, le siège est levé et les contestataires obtiennent une représentation directe d'un tiers aux conseils départementaux et au conseil de la Faculté. Il s'agit là d'un changement majeur dans la gouvernance de l'établissement.

Des étudiants occupent à nouveau la Faculté des sciences sociales en 1970. Une vingtaine de contestataires réclament sa francisation, en plus d'exiger une université française. Soulignons qu'à cette époque les francophones sont majoritaires, avec cinquante-six pour cent de la population étudiante totale. Les manifestants sont rapidement arrêtés par la police. Quoique bref, l'événement fait du bruit. Certes, par la suite, les choses se calment, mais les journaux étudiants continuent de participer aux grands débats. La hausse vertigineuse des droits de scolarité dans les années 1990, attribuable au désengagement des

Student life

After 1965, student associations across campus united under the Student Federation of the University of Ottawa and were granted their long-sought autonomy. The two student newspapers, *La Rotonde* and *The Fulcrum*, were a reflection of the student population and covered all the current events. For example, at the end of the 1960s, the two newspapers fought for student participation in the University's governance and supported the demonstrations that led to the 1968 student occupation of the Faculty of Social Sciences. Their main demand was equal student representation on department and faculty councils. The occupation lasted several days and students obtained one-third representation on both department and faculty councils – a key change in the institution's governance philosophy. Students occupied the Faculty of Social Sciences once again in 1970. About twenty protesters demanded that the Faculty become a Francophone entity and that the University as a whole become a French-language institution, although Francophones were a majority at the time, namely fifty-six percent of the student population. The protesters were quickly arrested by the police. Although it was short-lived, the incident had a considerable impact. Things soon returned to normal, but the debate went on for some time in the student newspaper. The significant tuition fee increase in the 1990s, imposed because of governments' underfunding, also drew particular interest. On another front, in 1987, the Student Federation was challenged by its graduate members who voted to form the Graduate Students' Association.

In 1966, the French-language theatre company changed its name to *Comédie des Deux Rives* while the Drama Guild, its English-language equivalent, came into full bloom after the University's reorganization. Both groups from the Department of Theatre continued to perform at the Academic Hall, except in 1975 when the facility was significantly damaged by a fire set by an arsonist. In 1986, the Department of Theatre and the performance hall finally found a home under the same roof, thus

gouvernements, retient particulièrement l'attention. Fait intéressant, en 1987, la Fédération étudiante se fait elle-même contester par ses membres des deuxième et troisième cycles qui décident par voie référendaire de former l'Association des étudiant-e-s diplômé-e-s.

En 1966, la troupe de théâtre francophone prend le nom de la Comédie des Deux Rives, alors que la Drama Guild s'implante définitivement après la restructuration de l'Université. Les deux troupes continuent à se produire à la Salle académique, sauf en 1975, lorsqu'un incendie d'origine criminelle endommage sérieusement les lieux. En 1986, le Département de théâtre et la salle de spectacle logent enfin sous le même toit, ce qui facilite grandement le sentiment d'appartenance et donne beaucoup plus de visibilité à cet art. Dans les années 1990, plus de cinq mille personnes assistent chaque année aux représentations théâtrales du campus.

Par ailleurs, à partir de 1969, plusieurs ensembles vocaux et instrumentaux se forment. Environ quinze mille personnes se déplacent annuellement à ces activités musicales. De plus, une radio et une télévision communautaires, ainsi qu'une ligue d'improvisation voient le jour dans les années 1970 et 1980. Fondée en 1984, la Ligue d'improvisation étudiante universitaire (LIEU) devient rapidement un point de mire et gagne à plusieurs reprises la prestigieuse Coupe universitaire d'improvisation.

Après 1965, les équipes sportives de l'Université d'Ottawa continuent de s'illustrer sur le campus et dans tout le pays. En 1981, l'Université célèbre en grand le centième anniversaire de son équipe de football. À maintes reprises, les Gee-Gees remportent contre les Ravens de l'Université Carleton le traditionnel match de football de la Panda. L'équipe gagne d'ailleurs le tout dernier match de l'histoire de cet affrontement annuel, en 1998 – c'est pourquoi le fameux trophée représentant Pedro, l'illustre mascotte de cette compétition, passe une paisible retraite aux Archives de l'Université. Il faut dire que les équipes sportives du campus reçoivent un fort appui de la communauté. Au cours des années

heightening students' sense of belonging and raising the profile of the dramatic arts. In the 1990s, campus theatre drew more than five thousand spectators a year.

After 1969, several vocal and instrumental ensembles emerged, attracting an average of fifteen thousand people a year to their musical performances. In addition, community radio and television stations as well as an improv team were established in the 1970s and 1980s. Founded in 1984, *La ligue d'improvisation étudiante universitaire (LIEU)* quickly established a solid reputation, winning the *Coupe universitaire d'improvisation* several times.

After 1965, the University of Ottawa's sports teams maintained their high profile on campus and across Canada. In 1981, for instance, the University celebrated the 100th anniversary of its football team with great pomp. In the traditional football competition, the Panda, the Gee-Gees won several times against Carleton University's Ravens and, in 1998, won the last game in the history of this annual challenge. As a result, the trophy representing Pedro, the competition's famous mascot, is now spending a quiet retreat in the University of Ottawa Archives. The University's varsity teams have always been well supported by the community; for example, in the 1990s, some twenty thousand fans attended the Gee-Gees home games each year. In the decades following the reorganization, the long tradition of social, cultural and athletic life dating back to the 19th century continued to thrive, strengthening the institution's outreach in the community.

Overall, the remarkable growth the University of Ottawa underwent stemmed both from the invaluable heritage left by the Oblates and the financial aid provided by the governments, the private sector and the community. The institution owed its enviable reputation to the dynamism of its administration, faculty, support staff and student population, as well as its benefactors, particularly the alumni. All of these forces combined in a special show of support as the University proudly marked its 150th anniversary in 1998. Under the leadership of rector

1990, vingt mille personnes assistent chaque année aux parties des Gee-Gees. Bref, la longue tradition de vie sociale, culturelle et sportive, qui remonte au XIXe siècle, ne se dément pas dans les décennies qui suivent la restructuration de l'Université. Plutôt, elle contribue à accroître le rayonnement de l'institution auprès de la communauté.

En somme, la croissance remarquable que connaît l'Université d'Ottawa s'explique, d'une part, par l'héritage inestimable laissé par les Oblats et, d'autre part, par l'aide financière des gouvernements, mais aussi du secteur privé et de la communauté. Quant à la réputation enviable de l'établissement, elle repose à la fois sur le dynamisme de l'administration, du corps enseignant, du personnel de soutien, de la population étudiante et de ses bienfaiteurs, particulièrement les anciens et les anciennes. C'est d'ailleurs la fusion de toutes ces forces qui permet à l'Université d'Ottawa de célébrer avec fierté ses cent cinquante ans, en 1998. Sous le leadership du recteur Marcel Hamelin, cet anniversaire est souligné tout au long de l'année par divers événements et, pour l'occasion, la Commission des lieux et monuments historiques du Canada reconnaît l'Université d'Ottawa comme site historique national. Un timbre commémore cet anniversaire.

Hamelin, celebrations extended throughout the year with various events. A crowning moment came when the Historic Sites and Monuments Board of Canada recognized the University of Ottawa as a national historic site in its own right. A commemorative stamp marks this anniversary.

La collation des grades devant le pavillon Tabaret en 1968.
The Convocation ceremony held in front of Tabaret Hall in 1968.
AUO-PHO-COL-6-568-6
▶

Récital du poète et chansonnier Félix Leclerc, ancien de l'Université, devant l'Association des anciens en 1966.
Poet and singer Félix Leclerc, a University alumnus, performs for the Alumni Association in 1966.
AUO-PHO-NB-98-66-12-01/Marc Landry
▶

En 1969, après son fameux « bed-in » à l'hôtel Reine-Élisabeth de Montréal, John Lennon vient donner une conférence sur la paix à l'Université d'Ottawa. À ses côtés, on reconnaît le futur recteur de l'Université d'Ottawa, Allan Rock.
In 1969, after the famous Bed-In for Peace event at the Queen Elizabeth Hotel in Montréal, John Lennon gives a peace conference at the University of Ottawa. With him, we recognize the future president of the University of Ottawa, Allan Rock.
AUO-CON-6-632-4/Mike Daly-36

En 1969, pour le Shinerama, des étudiants de l'Université d'Ottawa polissent les souliers du premier ministre du Canada, Pierre Elliott Trudeau.
Students polish the shoes of Canada's Prime Minister, Pierre Elliott Trudeau, during the Shinerama Campaign in 1969.
AUO-PHO-NB-6-667
▶

Le gouverneur général du Canada, Georges Vanier, son épouse, Pauline Vanier, et le recteur, Roger Guindon,
lors de l'installation de madame Vanier comme chancelier de l'Université, à l'église Sacré-Cœur, en 1966.
The Governor General, Georges Vanier, his spouse, Pauline Vanier, and the rector, Roger Guindon,
at the installation of Ms. Vanier as University Chancellor, at the Sacré-Cœur church, in 1966.
AUO-CON-6-1966-1-29-9A/Marcil

Le recteur Roger Guindon, le professeur David Bishop et le président de la Fédération étudiante, Richard Chartrand, prennent un café sur le site du futur Centre universitaire en 1971.
Rector Roger Guindon, Professor David Bishop and Students' Federation President Richard Chartrand having coffee on the site of the future University Centre in 1971.
AUO-NEG-NB-101-71-170-12

Présentation scientifique du professeur Marcel LeBlanc, devant une classe de jeunes très attentifs, en 1972.
A scientific presentation by Professor Marcel LeBlanc that caught the attention of prospective university students in 1972.
AUO-PHO-NB-6-1972-10-1

Dans les années 1970, le campus est un vaste chantier.
The campus is a large construction site during the 1970s.
AUO-PHO-NB-101-77-013-R1-12

Le calme avant la tempête... photographie prise sur le vif lors de la rentrée de 1978.
The calm before the storm... Photo taken at the beginning of the 1978 school year.
AUO-96-*Ottaviensis*-1979-22/Hugh Mackenzie

L'Université d'Ottawa, ce n'est pas que pour les grands... des jeunes lors d'un camp d'été en 1976.
The University of Ottawa is not only for grown-ups... some youngsters during a summer camp in 1976.
AUO-PHO-NB-1976-22-1

Des étudiants tirent un autobus en vue d'amasser des fonds pour l'Institut de cardiologie de l'Université d'Ottawa en 1988.
Students pull a bus to raise funds for the University of Ottawa Heart Institute in 1988.
AUO-NEG-NB-101-88-208-33

▶

Une prestation du Groupe de la Place Royale dans le cadre d'un cours de danse en 1976.
A performance by the *Groupe de la Place Royale* during a dance class in 1976.
AUO-PHO-NB-6-1976-35-2

HEART
Labatts Blue

PROSHRED
745-2345
64 WESTBORO
8544
OC Transpo
CHEZ106

Des go-karts dans les rues du campus lors de la Semaine d'accueil en 1983.
Go-karts on campus streets during Welcome Week in 1983.
AUO-NEG-NB-101-83-111-R1-20

Un mini-cours au Département de théâtre en 1994.
A mini-course at the Department of Theatre in 1994.
AUO-NEG-NB-101-94-077-R2-22

Les participants aux Jeux du commerce dans le grand escalier du pavillon Tabaret en 1998.
Participants in the *Jeux du commerce* on Tabaret Hall's grand staircase in 1998.
AUO-NEG-COL-101-98-002-R2-23

Un spectacle haïtien au Centre universitaire lors de la Semaine internationale en 1990.
A Haitian show at the University Centre during International Week in 1990.
AUO-NEG-COL-101-90-27-R3-13

Les maisons patrimoniales de la rue Séraphin-Marion, au cœur du quadrilatère historique de l'Université d'Ottawa.
The heritage buildings on Séraphin Marion Street, located in the heart of the University's historic sector.
AUO-6-UO-0567

Le Musée d'antiquités gréco-romaines au pavillon des Arts, inauguré en 1996.
The Museum of Classical Antiquities in the Arts Building, opened in 1996.
AUO-6-2003-076-100-0006-IMG

Sur le sol d'origine, la céramique du pavillon Tabaret révèle les symboles de l'Université : le gris et le grenat représentent ses couleurs officielles et les feuilles d'érables illustrent sa vocation canadienne.
The original ceramic tiles used in Tabaret Hall depict the University's symbols: grey and garnet are its two official colours, while the maple leaves reflect its Canadian identity.
AUO-6-2004-204 IMG_005

Trois anciens recteurs, le père Roger Guindon, Antoine D'Iorio et Mgr Henri Légaré, posent ensemble au Salon du 150e anniversaire de l'Université en 1998.
Three former rectors, Father Roger Guindon, Antoine D'Iorio and Emiritus Archbishop Henri Légaré, take a photograph during the University's 150th anniversary celebration in 1998.
AUO-PHO-COL-101-98-032-R1-36

L'Université d'Ottawa
The University of Ottawa

Au-delà du cent cinquantième anniversaire (depuis 1998)

Beyond the 150th anniversary (since 1998)

Depuis 1998, l'Université d'Ottawa connaît des transformations qui lui permettent de se hisser au rang des plus importantes universités canadiennes. Le début du XXIe siècle est marqué par le mandat de Gilles Patry qui est nommé recteur et vice-chancelier en 2001. À la tête de l'institution, il manifeste de réels talents de leader et de bâtisseur. Grâce à un modèle de gestion ouvert et mobilisateur, à une planification stratégique, *Vision 2010*, qui fait l'objet de vastes consultations, à un suivi annuel qui se concrétise par une tournée des facultés et des services, ainsi qu'à des indicateurs de rendement intégrés dans un tableau de bord qui est public, toute l'Université avance vers un même objectif, afin que chaque membre de la collectivité participe à la mission éducative de l'établissement. Ainsi, la population étudiante augmente de cinquante pour cent sous son mandat, et ce, aussi bien aux études supérieures qu'au premier cycle, notamment grâce aux changements démographiques, à la double cohorte découlant de la réforme de l'éducation secondaire en Ontario, au nombre croissant de jeunes qui veulent poursuivre des études postsecondaires, à une demande accrue pour des travailleurs du savoir et au pouvoir d'attraction de l'Université.

Fidèle à la vocation bilingue de l'Université et à l'engagement de l'institution envers la promotion de la culture française en Ontario, Gilles Patry déploie également des efforts particuliers pour attirer des francophones et des francophiles. En 2006, l'Université innove en mettant sur pied le premier programme canadien d'immersion en langue française en milieu universitaire, qui attire quelque deux cent cinquante étudiants chaque année. À ceux-là, s'ajoutent plus de onze mille étudiants francophones et trois mille autres étudiants qui ont fréquenté une école secondaire d'immersion. Au total, ce sont donc plus de quatorze mille étudiants francophones et francophiles qui fréquentent l'établissement. Cela dit, l'équilibre linguistique constitue un défi de taille pour l'Université si elle veut respecter sa mission d'enseignement, la proportion de francophones ayant baissé progressivement au cours des trente-cinq dernières années. En septembre 2007, le Groupe de travail sur les programmes

Since 1998, the University of Ottawa has undergone several changes that have vaulted it into the inner circle of Canada's top universities. The University entered the 21st century under the lead of Gilles Patry who was appointed President and Vice-Chancellor in 2001. At the helm of the institution, he displayed a natural talent both as a leader and a builder. Through an open and engaging management model, the *Vision 2010* strategic plan that was the subject of extensive consultations, annual follow-up conducted in all faculties and services, as well as performance indicators integrated in a balanced scorecard that was made public, the entire University has advanced toward the same objective and each member of the community has played a role in the institution's educational mission. During Gilles Patry's term, the student population increased by fifty percent, both at the undergraduate and graduate levels, as a result of several key factors: demographic changes, the double cohort spawned by the secondary-school reform in Ontario, the increased number of young people intent on pursuing postsecondary studies, the heightened demand for knowledge workers, and the institution's own ability to attract students.

Loyal to the University's vocation of bilingualism and its commitment to promoting French culture in Ontario, Gilles Patry undertook significant efforts to attract Francophone and Francophile students. In 2006, the institution broke new ground as it introduced the first French Immersion university program in Canada, which attracts about two hundred and fifty students every year. In addition, the University welcomes more than eleven thousand Francophone students as well as three thousand graduates of secondary immersion schools. Thus, more than fourteen thousand Francophone and Francophile students currently attend the University of Ottawa. Nevertheless, linguistic balance has remained an important challenge for the University's educational mission, since the percentage of Francophone students has declined steadily over the past thirty-five years. In September 2007, the Task Force on Programs and Services in French, established to address these concerns, submitted

et services en français, créé pour répondre à ces préoccupations, dépose trente et une recommandations afin de renforcer et de promouvoir le français.

Fait intéressant, la population étudiante féminine s'avère aujourd'hui largement majoritaire, formant soixante pour cent des effectifs. Il s'agit là d'un progrès spectaculaire puisque, en 1965, les femmes ne représentaient que vingt pour cent de la population étudiante. Plus important encore, les sphères d'activité auxquelles elles s'intéressent ont beaucoup changé. Les femmes sont maintenant bien représentées dans toutes les disciplines, avec l'exception notable du génie. À l'époque, elles étaient plutôt regroupées dans des champs d'études bien précis : éducation, sciences infirmières et sciences domestiques. Ce dernier programme, qui visait l'enseignement « de l'ensemble des connaissances théoriques et pratiques requises pour la bonne marche du foyer », a rapidement été abandonné au profit de la diététique après la restructuration de l'établissement.

Après le gouvernement fédéral, l'Université demeure l'un des plus importants employeurs de la région de la capitale nationale. En effet, l'institution emploie quelque sept mille personnes, à temps plein ou à temps partiel, dont trois mille du côté du personnel de soutien et quatre mille du côté du corps professoral. Avec un budget de sept cent cinquante millions de dollars, l'établissement engendre des retombées économiques majeures pour la région et le pays.

Par ailleurs, l'Université se classe cinquième au Canada en ce qui concerne l'intensité de la recherche, ses fonds de recherche totalisant deux cent quarante millions de dollars. Cette activité se reflète aussi dans les quelque cent cinquante chaires de recherche, nombre qui ne cesse de croître, avec les chaires de recherche du Canada, de l'Université, sur la francophonie canadienne et celles dotées et commanditées.

Le campus principal s'agrandit

Depuis 1998, les chantiers de construction se multiplient sur le campus de la Côte-de-Sable et sur celui

thirty-one recommendations aimed at reinforcing and promoting the French language at the University of Ottawa.

Interestingly, the female student population has also witnessed an impressive growth over time: it now makes up sixty percent of the total student population compared to only twenty percent in 1965. More importantly is the much more extensive list of areas women are interested in. Indeed, with the exception of engineering, women are now well represented in almost all disciplines, having ventured well beyond traditional fields such as nursing, education and home economics. The home economics program, which had focused on teaching "practical and theoretical notions on how to successfully manage a household," was abandoned in short order after the institution's reorganization. This home economics program was replaced by a dietetics program.

After the federal government, the University of Ottawa is one of the largest employers in the National Capital Region. The institution has approximately seven thousand full- and part-time employees which represents roughly three thousand support staff members and four thousand professors. With a budget of seven hundred and fifty million dollars, the University generates major economic benefits regionally and nationally.

The University ranks fifth in Canada for research intensity, with a total budget of two hundred and forty million dollars in this area. Its research efforts are spread across some one hundred and fifty research chairs, a number that continues to grow, including Canada Research Chairs, University Research Chairs, Research Chairs in Canadian Francophonie, and Endowed and Sponsored Research Chairs.

The main campus expands

Since 1998, construction crews have been a staple on both the Sandy Hill campus and the Alta Vista campus, with the University investing more than

d'Alta Vista, avec un investissement de plus de trois cent vingt-cinq millions de dollars. Afin d'améliorer les capacités d'enseignement et de recherche et pour mieux répondre aux besoins de la population étudiante, du personnel administratif et du corps professoral, le Service des immeubles supervise la construction de l'École d'ingénierie et de technologie de l'information – à l'avant-garde en ce qui a trait à la préservation de l'énergie –, de nouveaux pavillons pour les sciences et de deux nouvelles résidences étudiantes. Le pavillon Roger-Guindon est agrandi et le Service des sports voit son vieux rêve se réaliser avec la construction d'un nouveau centre faisant la fierté des équipes sportives, même s'il manque toujours un véritable stade pour tenir les joutes sur le campus. Toujours plus sensible aux enjeux environnementaux, l'Université se lance également dans un vaste programme d'économie d'énergie et de recyclage, en plus de s'engager dans l'embellissement de plusieurs bâtiments et la plantation d'arbres.

Ces projets d'expansion culminent avec l'inauguration, à l'automne 2007, du pavillon Desmarais, qui loge l'École de gestion Telfer et une partie de la Faculté des sciences sociales. Le pavillon à l'architecture élégante, construit au coût de quatre-vingts millions de dollars, porte le nom de Paul Desmarais, bachelier en commerce de l'Université d'Ottawa et l'un des plus importants financiers au pays. Franco-Ontarien originaire de la région de Sudbury et âme dirigeante de Power Corporation, il donne quinze millions de dollars à son *alma mater* pour aider à la construction du bâtiment. Aux yeux de Paul Desmarais, les valeurs que défend l'Université, particulièrement le bilinguisme, reflètent bien celles du pays. Notons que la maison d'enseignement occupe une place bien particulière dans le cœur de l'homme d'affaires. En effet, c'est là qu'il fait la connaissance de Jacqueline Maranger, elle aussi ancienne de l'Université, qu'il épouse en 1953. Depuis quatre générations, la famille Desmarais entretient des liens privilégiés avec l'institution.

Dans un autre ordre d'idées, l'Université achète les terrains et les anciens bâtiments du Collège Algonquin, avenue Lees, au sud du campus, afin d'assurer

three hundred and twenty-five million dollars in development projects. To improve teaching and research and better meet the needs of students, professors and administrative staff, the Physical Resources Service has overseen the construction of the cutting-edge, energy-saving School of Information Technology and Engineering, new buildings for the sciences, and two new student residences. The Roger Guindon Hall was expanded and the Sports Services saw its long-time dream come true as a new sports complex opened its doors, a source of pride for sports teams, although they still lack a permanent stadium for hosting home games. Increasingly aware of environmental issues, the University also launched an extensive energy-conservation and recycling program, retrofitted several buildings and planted hundreds of trees.

The expansion culminated with the opening of Desmarais Hall in the fall of 2007, which houses the Telfer School of Management and part of the Faculty of Social Sciences. The elegant eighty-million dollar building bears the name of Paul Desmarais, who graduated from the University of Ottawa with a Bachelor of Commerce and who is currently one of the top business people in the country. A Franco-Ontarian from the Sudbury area and the driving force of Power Corporation, he donated fifteen million dollars to his *alma mater* to help erect the building. For Paul Desmarais, the University's values, in particular its bilingualism, are a good reflection of Canadian values. The institution holds a special place in the heart of the businessman since this is where he met Jacqueline Maranger, an alumna of the University, whom he married in 1953. The Desmarais family has maintained close relations with the institution for four generations.

To ensure its future expansion, the University also purchased the land and former buildings of Algonquin College on Lees Avenue, at the south end of the campus. In close collaboration with Sandy Hill residents, the institution planned development projects for the area on King Edward Avenue between Laurier Avenue and Templeton Street, of which it owns eighty percent.

son développement physique futur. De même, en étroite collaboration avec les résidants de la Côte-de-Sable, l'établissement planifie le développement du secteur de l'avenue King Edward entre l'avenue Laurier et la rue Templeton, qui lui appartient à quatre-vingts pour cent.

Les campagnes de financement

En 2004, l'établissement lance la Campagne de l'Université canadienne, la plus importante de son histoire, dont l'objectif est de deux cents millions de dollars. À peine quatre ans plus tard, plus de deux cent vingt-cinq millions de dollars ont été amassés. Ce succès, l'Université le doit à une longue tradition de générosité.

En 1889, l'Association des anciens élèves du Collège d'Ottawa recueille près de deux mille dollars pour ériger une statue à la mémoire du père Tabaret. Après le grand feu de 1903, les pères mettent sur pied un comité de secours pour les aider à compenser leurs pertes. En 1931, à la suite de la construction de l'aile Wilbrod du pavillon Tabaret, l'administration fait de nouveau appel à la générosité du public. Toujours pour répondre aux besoins de l'institution, les Oblats lancent une autre campagne de financement après la Seconde Guerre mondiale. Celle-ci rapporte deux cent cinquante mille dollars. En 1948, le chancelier de l'Université, Mgr Alexandre Vachon, organise dans l'archidiocèse une campagne qui rapporte près d'un million de dollars. Cette somme – considérable pour l'époque – illustre bien l'attachement que la communauté des deux rives de l'Outaouais porte à l'établissement. Une partie de l'argent sert à la construction du pavillon Vanier.

En 1960, l'Université crée le Département de développement, qui coordonne une première campagne nationale auprès des anciens et du grand public. L'objectif est fixé à quatre millions de dollars. De 1961 à 1965, près de deux millions de dollars sont amassés. Cependant, en raison de la restructuration qui ouvre les portes au financement gouvernemental, peu d'efforts sont déployés dans les années qui suivent.

Fundraising campaigns

In 2004, the University launched the Campaign for Canada's University, the largest fundraising effort in its history, with a goal of two hundred million dollars. Four years later, more than two hundred and twenty-five million dollars had been raised, a testimonial to a longstanding tradition of generosity.

In 1889, the College of Ottawa Alumni Association raised almost two thousand dollars to erect a statue in honour of Father Tabaret. After the massive fire of 1903, the Oblate Fathers established an Aid Committee to help them cover the losses. In 1931, after the Wilbrod wing opened in Tabaret Hall, the administration appealed to the public once again. Then, at the end of World War II, the Oblates launched yet another campaign to meet the institution's needs, bringing in two hundred and fifty thousand dollars. In 1948, the University's Chancellor, Archbishop Alexandre Vachon, organized an archdiocese-wide campaign that generated close to one million dollars. At the time this was a considerable achievement, and it clearly showed that the communities on both sides of the Ottawa River were committed to the institution. Part of the money raised served to build Vanier Hall.

In 1960, the University established the Development Office, which coordinated the first national campaign among alumni and the public. The goal was to raise four million dollars. Between 1961 and 1965, almost two million dollars was raised, but given the reorganization of the administration of government funding, very few efforts followed over the next years.

In 1980, the University launched the Achievement Fund, a campaign whose goal was to raise eight million dollars for research, capital projects and scholarships. Five years later, the goal had been exceeded by a million dollars. Then, in 1990, the Vision Campaign, chaired by Paul Desmarais, set a goal of thirty-four million dollars; again, the effort exceeded expectations and, by 1995, the campaign

En 1980, l'établissement lance la campagne du Fonds de l'essor, qui vise à recueillir huit millions de dollars. En cinq ans, l'objectif est dépassé d'un million de dollars. En 1990, la campagne Vision, présidée par Paul Desmarais, vise les trente-quatre millions de dollars, somme dépassée en 1995 avec un total de trente-neuf millions de dollars. En 2002, la campagne Campus permet d'obtenir rapidement cinq millions de dollars.

Le succès de toute campagne repose en partie sur les dons majeurs, comme celui de Paul Desmarais, mais également ceux de philanthropes comme Ian Telfer qui, en 2007, accorde vingt-cinq millions de dollars à son *alma mater*, soit le plus important don de l'histoire de l'établissement. Ian Telfer est un leader bien connu du monde des affaires et de la collectivité de Vancouver. L'École de gestion, où il a fait son MBA, porte désormais son nom. Signalons un autre exemple de don substantiel : en 2005, Shirley Greenberg, avocate à la retraite, verse trois millions de dollars pour les femmes et le droit à la Section de common law de la Faculté de droit.

Une nouvelle image, un nouvel élan

En 1990, le gouverneur général du Canada, Son Excellence Ramon Hnatyshyn, remet solennellement les nouvelles armoiries de l'Université d'Ottawa approuvées par l'Autorité héraldique du Canada. L'institution utilise ces armoiries comme symbole officiel, mais puisqu'elles sont difficiles à reproduire dans un petit format, l'administration remédie à la situation en adoptant, en 2004, un nouveau logo représentant le pavillon Tabaret, avec le mot-symbole « uOttawa ».

En 2005, avec l'appui unanime du Sénat et du Bureau des gouverneurs, l'Université adopte *Vision 2010*. Plusieurs des moyens précisés dans la planification quinquennale pour permettre à l'Université d'atteindre ses objectifs sont rapidement mis en œuvre. Citons en exemples la création de l'Institut des langues officielles et du bilinguisme, la mise sur pied du Programme d'apprentissage par l'engagement communautaire, le lancement d'une quarantaine de

had garnered thirty-nine million dollars. In 2002, the Campus Campaign raised another five million dollars in almost record time.

The success of any campaign depends on major donations, such as the one made by Paul Desmarais, and on philanthropists such as Ian Telfer, who in 2007 donated twenty-five million dollars to his *alma mater*, the largest gift in the University's history. Ian Telfer is a renowned leader in the business world and in the Vancouver community. The School of Management, where he obtained his MBA, now bears his name. Another example of an outstanding contribution is that of Shirley Greenberg, a retired lawyer who in 2005 donated three million dollars to the Common Law Section of the Faculty of Law to support women in the legal profession.

New image, new momentum

In 1990, Canada's Governor General, His Excellency Ramon Hnatyshyn, officially unveiled the University of Ottawa's new coat of arms, recognized by the Canadian Heraldic Authority. Although used as an official symbol, the coat of arms was hard to reproduce in smaller sizes. So, in 2004, the administration adopted a new logo that includes a stylized image of Tabaret Hall and the uOttawa wordmark.

In 2005, with the unanimous support of the Senate and the Board of Governors, the University adopted *Vision 2010*. Several of the projects in this five-year plan designed to help the University reach its objectives were promptly implemented: the University created the Institute of Official Languages and Bilingualism, launched the Community Service Learning Program, introduced about forty new programs of study, launched twenty-three new co-operative education programs, including some at the graduate level and some international, and invested significantly in the Library.

It was also in 2005 that the Alumni Relations Office organized the first Homecoming festivities, not just for alumni, but also for the institution's staff, students, and the greater community, particularly

nouveaux programmes d'études, l'implantation de vingt-trois nouveaux programmes d'enseignement coopératif dont certains aux études supérieures et à l'étranger, ainsi qu'un investissement massif dans la Bibliothèque.

C'est aussi en 2005 que le Bureau des relations avec les anciens organise les premières Retrouvailles. Celles-ci s'adressent non seulement aux anciens, mais aussi au personnel de l'établissement, aux étudiants et à la communauté, particulièrement à celle de la Côte-de-Sable. Depuis, l'événement prend de l'ampleur chaque année. Notons que plus de la moitié des anciens habitent dans la grande région de la capitale fédérale et que le cent soixante-dix millième ancien reçoit son diplôme à la collation des grades du printemps 2008.

L'Université d'Ottawa entretient depuis toujours des liens privilégiés avec la collectivité environnante. En effet, le grand public est invité à participer à une foule d'activités culturelles, sociales et sportives présentées sur le campus ou à l'extérieur. L'un des meilleurs exemples de l'enracinement de l'Université dans la collectivité demeure sans contredit sa participation annuelle à la campagne Centraide, dont elle a l'honneur d'être l'un des cinq plus importants partenaires régionaux. Un autre bon exemple est certainement les liens privilégiés qu'entretiennent le Département de musique, l'Orchestre symphonique d'Ottawa et le Centre national des arts.

Il ne fait pas de doute que l'Université d'Ottawa continuera encore longtemps d'être une source de fierté et de grande vitalité, non seulement pour la région, mais aussi pour l'Ontario et pour le Canada tout entier. Située au cœur de la capitale fédérale, l'Université d'Ottawa est aujourd'hui non seulement l'une des grandes universités canadiennes, mais aussi la plus ancienne et la plus importante université bilingue en Amérique du Nord. Héritière de deux grandes traditions culturelles et scientifiques du monde occidental, l'Université d'Ottawa est unique au Canada, ainsi que le démontrent son développement exceptionnel et son histoire fascinante depuis plus de cent soixante ans.

Sandy Hill. The event has grown every year, not surprisingly given that more than half of the University of Ottawa's alumni live in the National Capital Region. At Convocation in the spring of 2008, the institution's one hundred and seventy thousandth graduate joined the ranks of its alumni.

The University of Ottawa has always maintained close relations with the surrounding community, inviting the public to take part in numerous cultural, social and athletic activities both on and off campus. One of the best examples of the University's commitment to the community has been its annual participation in the United Way Campaign, for which the institution has become one of the top five regional partners. Another good example is the partnership between the Department of Music, the Ottawa Symphony Orchestra and the National Arts Centre.

The University of Ottawa will remain a source of pride and vitality for a long time to come, not only in the National Capital Region, but also in Ontario and across Canada. Located in the heart of the national capital, the institution not only ranks among Canada's top universities, but also stands as the oldest and largest bilingual university in North America. Inheriting the legacy of two great cultural and scientific traditions of the Western world, the University of Ottawa is unique in Canada, and both its remarkable growth as well as its fascinating history spanning more than one hundred and sixty years have brought this uniqueness to life.

Les Gee-Gees remportent la Coupe Vanier lors du Championnat canadien de football universitaire en 2000.
The Gee-Gees win the Vanier Cup during Canada's University Football Championship in 2000.
AUO-*Tabaret*, hiver 2001/Jean-Sébastien Trudel

▶

2000
Champions
2000
CHAMPIONS
OTTAWA

Le canal Rideau, site du patrimoine mondial, devant le pavillon Colonel-By en 2004.
The Rideau Canal, an international heritage site, in front of Colonel By Hall in 2004.
AUO-6-2003-004 100-0029

Des étudiants débordant d'énergie sur la terrasse du pavillon Morisset pour le Shinerama de 2003.
Several energetic students on the Morisset Terrace during the 2003 Shinerama campaign.
AUO-6-2003-266 101-04

▶

Le pavillon de l'École d'ingénierie et de technologie de l'information en 2004.
The School of Information Technology and Engineering in 2004.
AUO-6-2004-SITE.IMG-004

003

2003
COREL

Des étudiants dans un bateau de glace lors du premier Défi hivernal en 2003.
Students in an ice boat during the first Winter Challenge in 2003.
AUO-6-2003-016-100-0029-IMG

La Ligue d'improvisation étudiante universitaire (LIEU) en 2005.
The *Ligue d'improvisation étudiante universitaire (LIEU)* in 2005.
AUO-6-A05-134-35

Des membres des équipes sportives de l'Université d'Ottawa posent fièrement avec la mascotte des Gee-Gees en 2005.
Members of the University of Ottawa sports teams proudly pose with the Gee-Gees mascot in 2005.
AUO-6-WJ2T8533/Le Loft 1911

Le recteur Marcel Hamelin accueille des participants aux IVes Jeux de la Francophonie en 2001.
Rector Marcel Hamelin greets participants to the fourth *Jeux de la Francophonie* in 2001.
AUO-NEG-COL-6-2001-148-R7-28

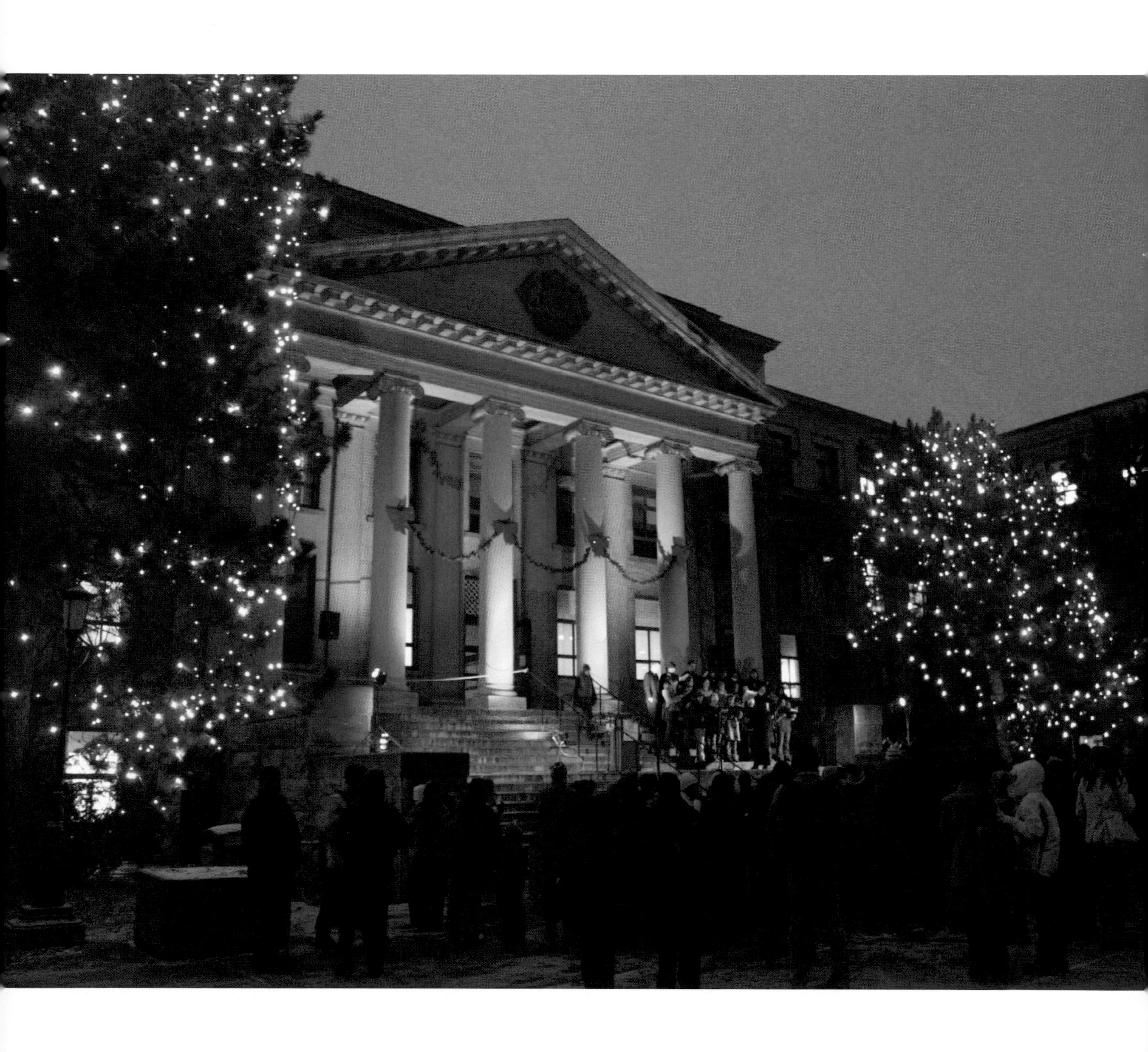

La Cérémonie des lumières du temps des Fêtes devant le pavillon Tabaret en 2005.
The Holiday Lights Illumination Ceremony in front of Tabaret Hall in 2005.
AUO-6-2005-303 IMG-0140

Répétition de l'Orchestre de l'Université d'Ottawa, sous la baguette de David Currie, à l'église Saint-Joseph, en 2005.
David Currie conducting the University of Ottawa Orchestra during a rehearsal at St. Joseph Church in 2005.
AUO-6-2005-077 IMG-0047

Un étudiant et une étudiante participent au concours « Promenade des arts » à l'automne 2005.
Two students participating in the Arts Walk, fall 2005.
AUO-6-IMG-1731

Démonstration acrobatique des meneurs et meneuses de claques des Gee-Gees lors de la rentrée scolaire de 2005.
A Gee-Gees cheerleading show at the beginning of the 2005 academic year.
AUO-6-2005-196 IMG-0135

Une activité familiale lors des Retrouvailles en septembre 2007.
A family activity during the 2007 Homecoming.
AUO-6-2007-263 IMG-0195

Match de football des Gee-Gees contre l'Université McMaster lors des Retrouvailles de 2006.
A football game between the Gee-Gees and McMaster University during the 2006 Homecoming.
AUO-6-2006-235 IMG-1461

Alex Trebek, ancien de l'Université et grande vedette de la télévision américaine, montre ses talents de botteur aux Gee-Gees en 2005.
Alex Trebek, University alumnus and well-known American television host, demonstrates his kicking skills to the Gee-Gees in 2005.
AUO-6-2005-215-IMG-7876/Bonnie Findley

L'équipe de David Mitchell, vice-recteur aux relations universitaires, fait la promotion de l'image de marque de l'Université sur la colline du Parlement en 2007.
David Mitchell, Vice-President, University Relations, and his team promote the University's brand on Parliament Hill in 2007.
AUO-6-2007-076-f484618168

Le deuxième édifice ayant abrité le Collège de Bytown, à l'ombre de la cathédrale Notre-Dame, dans la basse-ville d'Ottawa, en 2007.
The second building that housed the College of Bytown, next to Notre Dame Cathedral in Lowertown, in 2007.
AUO-6-2007-249 IMG-011

Vue aérienne du campus en 2007.
Aerial view of the campus in 2007.
AUO-6-WJH-6178

Le soleil se lève sur les pavillons Tabaret et Desmarais à l'automne 2007.
The sun rising on Tabaret and Desmarais halls in the fall of 2007.
AUO-6-2007-280 IMG-0021

WESTIN
SEARS

Vue aérienne du pavillon Roger-Guindon et de l'Hôpital général d'Ottawa en 2007.
Aerial view of Roger Guindon Hall and the Ottawa General Hospital in 2007.
AUO-6-WJH-6211

La caporale-chef Katherin Lamy et Helen K. Mussallem déposent une gerbe de fleurs lors de la cérémonie du jour du Souvenir en 2005.
Master Corporal Katherin Lamy and Helen K. Mussallem lay a wreath during the Remembrance Day ceremony in 2005.
AUO-6-2005-271 IMG_0153

Chantal Petitclerc, athlète paralympique et olympique réputée, reçoit un doctorat honorifique en 2006 des mains de notre chancelier, Huguette Labelle.
Chantal Petitclerc, renowned paralympic and olympic athlete, receives an honorary doctorate in 2006 from our Chancellor, Huguette Labelle.
AUO-6-2006-148-IMG-0172

La nouvelle passerelle Corktown sur le canal Rideau en 2007.
The new Corktown pedestrian bridge over the Rideau Canal in 2007.
AUO-6-2007-126 IMG-0082

Jean Béliveau reçoit le Prix d'excellence pour le leadership au Canada en 2006.
Jean Béliveau receives the Distinguished Canadian Leadership Award in 2006.
AUO-6-2006-389-ST.CUP-064/Bonnie Findley
▶

Marc Dorion remporte la médaille d'or en hockey-luge aux Jeux paralympiques de Turin en 2006. Étudiant à l'Université d'Ottawa, il est le plus jeune joueur de l'équipe canadienne.
Marc Dorion wins the gold medal as part of the Canadian sledge hockey team at the 2006 Paralympic Games in Torino. The University of Ottawa student was the youngest member of Team Canada.
AUO-6-Photo : Canadian Paralympic Committee/Benoit Pelosse

L'Expo-sciences s'avère toujours un lieu d'échanges fructueux entre étudiants et professeurs.
The Science Fair is always an opportunity for rewarding exchanges between students and professors.
AUO-6-2004-004 IMG-100-51a

Le recteur Gilles G. Patry félicite chaleureusement le pianiste de jazz Oscar Peterson, récipiendaire du Prix d'excellence pour le leadership au Canada en 2004.
President Gilles G. Patry congratulates jazz pianist Oscar Peterson, recipient of the 2004 Distinguished Canadian Leadership Award.
AUO-6-2004-261-IMG-0017

Les installations du nouveau complexe sportif inauguré en 2001.
The new sports complex was opened in 2001.
AUO-6-UO-074-2002

La « Grande Allée » relie le secteur patrimonial à la partie contemporaine du campus.
The *"Grande Allée"* connects the campus' heritage area with its contemporary sector.
AUO-6-UO-168-2001

Des étudiants lancent leur mortier dans les airs avec enthousiasme.
Students enthusiastically throw their mortar-board in the air.
AUO-6-2002-061-10

Allan Rock, un retour aux sources

Natif d'Ottawa, Allan Rock fréquente l'École secondaire de l'Université d'Ottawa, avant d'y obtenir le baccalauréat ès arts en 1968, puis le baccalauréat en droit en 1971. Déjà intéressé par la politique, il est élu président de l'Association générale des étudiants en 1969. Au cours de son mandat, il réussit un véritable coup d'éclat : attirer John Lennon et Yoko Ono pour une conférence sur la paix.

Pendant vingt ans, Allan Rock mène une carrière d'avocat spécialiste des litiges civils, administratifs et commerciaux. C'est toutefois en politique fédérale qu'il se fait remarquer, devenant rapidement l'une des personnalités les plus en vue du Parlement. Élu député d'Etobicoke-Centre en 1993, il est aussitôt nommé ministre de la Justice et procureur général du Canada. À ce poste, il apporte d'importantes améliorations notamment au Code criminel et à la Loi canadienne sur les droits de la personne. Devenu ministre de la Santé en 1997, il pilote, entre autres, la création des Instituts de recherche en santé du Canada (IRSC). À partir de 2002, il occupe le poste de ministre de l'Industrie et, à ce titre, il est responsable des grands conseils subventionnaires de recherche et de nombreux dossiers étroitement liés à l'avenir des universités canadiennes.

En 2003, Allan Rock est nommé ambassadeur du Canada auprès de l'Organisation des Nations Unies (ONU). Il y milite ardemment pour les droits et la sécurité de la personne ainsi que pour la réforme de l'organisation. Lors du Sommet mondial 2005 de l'ONU, il se fait le promoteur des efforts déployés par le Canada afin d'exhorter les leaders internationaux à adopter le principe de responsabilité pour protéger les populations contre les actes de génocide ou de nettoyage ethnique, les crimes de guerre et les crimes contre l'humanité. Toujours à l'ONU, il préside un groupe de travail sur les obstacles au développement à long terme en Haïti, participe aux efforts pour mettre fin au conflit en Ouganda et prend part aux pourparlers de paix du Darfour.

Allan Rock: Coming Full Circle

A native of Ottawa, Allan Rock is a University of Ottawa alumnus who graduated from the University of Ottawa High School before completing a Baccalaureate in Arts in 1968 and a law degree in 1971. Displaying an interest in politics as a student, he was elected president of the Student Federation in 1969. In this role, one of his major accomplishments was hosting John Lennon and Yoko Ono for a peace conference.

For twenty years, Allan Rock conducted a varied practice in civil, commercial and administrative litigation. Nonetheless, he became renowned on the federal political scene, quickly emerging as a prominent personality on Parliament Hill. In 1993, he was elected as the Member of Parliament for Etobicoke-Centre and then appointed Minister of Justice and Attorney General of Canada. In this role, he introduced significant improvements to the Criminal Code and the Canadian Human Rights Act. Allan Rock became Minister of Health in 1997, where he spearheaded the creation of the Canadian Institutes of Health Research (CIHR). Appointed Minister of Industry in 2002, he was responsible for Canada's main research granting councils and for many initiatives involving the future of Canadian universities.

In 2003, Allan Rock was appointed Ambassador of Canada to the United Nations where he was an outspoken advocate for human rights, human security and UN reform. At the 2005 World Summit of the United Nations, he led the Canadian effort to secure the adoption by world leaders of the Responsibility to Protect doctrine, which protects populations from genocide, ethnic cleansing, war crimes and crimes against humanity. His other roles at the United Nations included chairing a working group on obstacles to long-term development in Haiti, participating in efforts to end the conflict in Uganda, and taking part in peace negotiations in Darfur.

Allan Rock reçoit de nombreuses marques de reconnaissance au cours de sa carrière, dont deux doctorats honorifiques et le prix Meritas-Tabaret 2007 décerné à un ancien ou à une ancienne de l'Université d'Ottawa qui se distingue sur la scène nationale. Le 15 juillet 2008, Allan Rock devient le vingt-neuvième recteur et vice-chancelier de l'Université d'Ottawa, un retour aux sources pour lui.

Throughout his career, Allan Rock has received a number of awards, including two honorary degrees and the 2007 Meritas-Tabaret Award, conferred by the University of Ottawa to graduates who have made a significant contribution on the national scene. On July 15, 2008, Allan Rock became University of Ottawa's 29th President and Vice-Chancellor, marking a career that has come full circle.

Le président du Bureau des gouverneurs, Marc Jolicœur, accueille le nouveau recteur, Allan Rock, en 2008.
The President of the Board of Governors, Marc Jolicœur, welcomes the incoming President, Allan Rock, in 2008.
AUO-CJR4969

L'équipe de gestion lors d'une retraite tenue en octobre 2008. À l'arrière : Micheál Kelly, doyen, École de gestion Telfer; Claude Laguë, doyen, Faculté de génie; George Lang, doyen, Faculté des arts; Victor Simon, vice-recteur aux ressources; Mona Nemer, vice-rectrice à la recherche; André Lalonde, doyen, Faculté des sciences; Allan Rock, recteur et vice-chancelier; Denis Prud'homme, doyen, Faculté des sciences de la santé; Bruce Feldthusen, doyen, Faculté de droit, Section de common law; François Houle, doyen, Faculté des sciences sociales; Pamela Harrod, secrétaire de l'Université; Gary Slater, doyen, Faculté des études supérieures et postdoctorales; Robert Major, vice-recteur aux études. À l'avant : Jacques Bradwejn, doyen, Faculté de médecine; Leslie Weir, bibliothécaire en chef; Marie Josée Berger, doyenne, Faculté d'éducation; Nathalie Des Rosiers, doyenne, Faculté de droit, Section de droit civil.

The management team at a retreat in October 2008. Back row: Micheál Kelly, Dean, Telfer School of Management; Claude Laguë, Dean, Faculty of Engineering; George Lang, Dean, Faculty of Arts; Victor Simon, Vice-President, Resources; Mona Nemer, Vice-President, Research; André Lalonde, Dean, Faculty of Science; Allan Rock, President and Vice-Chancellor; Denis Prud'homme, Dean, Faculty of Health Sciences; Bruce Feldthusen, Dean, Faculty of Law, Common Law Section; François Houle, Dean, Faculty of Social Sciences; Pamela Harrod, Secretary of the University; Gary Slater, Dean, Faculty of Graduate and Postdoctoral Studies; Robert Major, Vice-President Academic and Provost. Front row: Jacques Bradwejn, Dean, Faculty of Medicine; Leslie Weir, University Librarian; Marie Josée Berger, Dean, Faculty of Education; Nathalie Des Rosiers, Dean, Faculty of Law, Civil Law Section.
AUO-7/JMB